SIN NOMBRE

colección andanzas

HELDER MACEDO
SIN NOMBRE

Traducción de Mario Merlino

Título original: *Sem Nome*

1.ª edición: junio de 2008

© Helder Macedo y Editorial Presença, Lisboa, 2004
Edición publicada por acuerdo con Piergiorgio Nicolazzini Literary Agency

© de la traducción: Mario Merlino Tornini, 2008
Diseño de la colección: Guillemot-Navares
Reservados todos los derechos de esta edición para
Tusquets Editores, S.A. - Cesare Cantù, 8 - 08023 Barcelona
www.tusquetseditores.com
ISBN: 978-84-8383-077-2
Depósito legal: B. 23.057-2008
Fotocomposición: Foinsa-Edifilm, S.L.
Impresión: Reinbook Imprès, S.L.
Encuadernación: Reinbook
Impreso en España

Índice

A la memoria de M. de L.P.

... dejaremos este mundo necio y malo
tal como era cuando en él entramos.

Camilo Castelo Branco

Ya ves, pues, que podemos vivir juntos,
en los mismos aposentos confortables,
compartir el jamón y otros condumios,
y reírnos de los miserables.

Cesário Verde

No mueres satisfecho,
mueres desinformado.

Carlos Drummond de Andrade

1
Blanco o tinto

Que una mujer diga que es más joven de lo que es, muy bien, hasta aquí todo normal. Muchas veces ni siquiera estará mintiendo, sino simplemente ajustando la verdad a la verosimilitud. Y como, por otro lado, las adolescentes se hacen adultas cada vez antes, la maravilla es que haya por ahí tanta juventud casadera de hijas, madres, incluso abuelas, todas ellas rivalizando en el mismo juego de las falsas apariencias. Maravilla o suplicio de Tántalo para quien, por falta de imaginación o de pócimas adecuadas, se someta a calendarios biológicos, habiendo tanta agua alrededor y ninguna potable. Sin embargo, no era así para José Viana, que desde hacía mucho se había habituado a considerar las apariencias como el único modo inteligible de vivir.

Pero cuando una hermosa muchacha a todas luces veinteañera trastorna todas las plausibilidades, hasta el punto de demostrar con documentos fidedignos que tiene edad para ser su propia abuela o, por lo menos, madre tardía, entonces las cosas se complican, nace la desconfianza. La policía de inmigración del aeropuerto de Londres desconfió y las cosas se le complicaron a Marta Bernardo, que no podía ser quien había demostrado que era. Y después a José Viana, que la reencontró cuando era imposible que ella fuese quien parecía ser.

La única explicación que por ahora se puede adelantar es que resulta peligroso hurgar en papeles viejos. Cuando uno menos se lo espera, sale de entre ellos una voz que intriga diciendo quizá sí, quizá no, vidas alternativas que barajan presente y pasado. Si alguien a quien creemos haber conocido como a nosotros mismos se presenta de repente como quien nunca ha sido o, aún más grave, si alguien a quien no conocemos nos dice de repente que es una persona que nunca podría ser, entonces se vuelve un poco más difícil seguir creyendo que nosotros mismos somos quienes somos.

De hecho, el propósito de José Viana había sido exactamente el contrario, ordenar su pasado en unas cajas de vino vacías, separar lo que podía quedar para los demás de lo que debía ir ya a la basura antes que él, los dos últimos días se los había pasado considerándose en edad de preocupaciones prepóstumas. Habitualmente no sentía esa clase de preocupaciones, aquello debía de ser algo pasajero, la verdad es que seguía mirándose en los espejos con ojos jóvenes, eran los espejos los que tenían arrugas y canas, no él, ésa era la verdad. O, por lo menos, lo había sido hasta dos días atrás.

Pero el viernes, en el democrático metro que había decidido coger en vez del taxi, más habitual, una perversa inglesita de rostro terso y cabellos color fuego que caían en cascada descruzó sus largas piernas, no para que él pudiese apreciar mejor la irrecusable invitación de una flor tatuada vislumbrada al fondo, sino para levantarse y ofrecerle su asiento. Mierda de democracia. ¿Y él qué hizo? Nada, qué remedio. Dio las gracias, aceptó, se sentó, abrió las páginas rubicundas del *Financial Times* y sólo volvió a mirar a la pérfida doncella desde el otro lado de la puerta, cuando bajó del vagón con ojos castos. Y la sádica seguro que se dio cuenta de todo y fue a contárselo enseguida a su novio, se reiría mucho en la cama, se veía a la legua que era una perversa, una castigadora de viejos. Así que el sábado José Viana fue en busca de los papeles acumulados en las cajas de vino a lo largo de los años.

Por supuesto, los documentos judiciales se encontraban en el despacho, debidamente catalogados por la eficiente secretaria con quien se había acostado durante demasiado tiempo como para que después resultase fácil dejar de hacerlo aun doblándole el salario: sumarios de la A a la Z durante los últimos treinta años. Abogado. Se había graduado en Derecho en Lisboa en el momento oportuno, a pesar de las políticas estudiantiles que siguió como militante del Partido Comunista Portugués, el PCP; tuvo amores intensos con una camarada, Marta Bernardo, de la que no había vuelto a saber nada más; escapó de las guerras en un carguero holandés; y se afincó en Londres reciclado como jurista británico después de pasar por los Inns of Court.

Parece que en los Inns of Court las calificaciones se atribuyen con base a doce cenas celebradas según la antigua tradición conventual, que representan los pasos ritualizados en la jerarquía del aprendizaje jurídico, hasta que la última refección da acceso a las sastrerías institucionales de chaquetón negro y pantalones a rayas, toga, peluca blanca, solemnidad. El glotón de José Viana comió todo muy deprisa y aún le quedó apetito para complementar el entrenamiento gastronómico doctorándose en el King's College, allí al lado, con una tesis sobre derecho comunitario. Ya que no podía volver a Portugal, sería un metro ochenta y cinco de solidez jurídica, y rápidamente se convirtió en el Doctor, el más reputado letrado de la comunidad portuguesa en Inglaterra.

En el intrincado sistema jurídico inglés, hay dos tipos de abogados, los *solicitors* y los *barristers*. Los primeros son aquellos a quienes consultan los clientes y que representan a éstos en los tribunales de primera y segunda instancia. Pero sólo los *barristers,* por encargo de los *solicitors,* pueden representarlos en los tribunales de instancias superiores. José Viana podía representar directamente a la gran mayoría de sus clientes, cuyos delitos no daban derecho a las supremas metafísicas judiciales. En todo caso, para quienes tuviesen tal derecho, José Viana había instruido a un *barrister* empobrecido por falta de talento jurídico pero impecablemente *upper class,* cuyas funciones, supuestamente distinguidas, ejecutaba él mismo en la sombra. El obediente *barrister* sólo tenía que recitar, con el adecuado tono de ex pupilo de Eton o de Harrow, lo que él le iba diciendo. O sea: según José Viana, las reglas sólo sirven para ser eludidas.

Por estas y otras razones, hay quien afirma que José Viana nunca parece tomarse completamente en serio todo lo que, sin embargo, hace siempre con la mayor seriedad. Dicen las malas lenguas que acaso sea para guardar las apariencias, que en el fondo continúa siendo el populista que fue antes en secreto, un cripto-subversivo, un anarco-legalista. Envidias. El hecho es que para él no hay causas imposibles ni inmorales: si un portugués está en apuros, el doctor José Viana lo defiende. Se lleva bien con la policía, cuenta con la confianza de los jueces, inspira buena conciencia en los tribunales y cobra de acuerdo con los bienes del cliente. Por tanto, a cualquier portugués que se encuentre en Londres y que lo necesite, le basta con preguntarle a un compatriota por el Doctor, no hace falta ni decir su nombre. Despacho en Aldwych, esa calle en semicírculo que se bifurca desde el Strand, donde queda la BBC World Service.

O, si no, puede encontrarlo en el Wig & Pen, muy cerca, adonde va muchas veces a almorzar. Situado casi enfrente de los Royal Courts of Justice, después de la iglesia del Wren y justo antes de que el Strand pase a ser Fleet Street, es un pequeño edificio inclinado que sobrevivió al Gran Incendio de Londres de 1666. Wig, es evidente, alude a la tradicional peluca blanca de los juristas del otro lado de la calle, y Pen, a la pluma periodística asociada tradicionalmente a Fleet Street. Al contrario de la norma de los demás clubes ingleses, el Wig & Pen nunca ha discriminado a las mujeres, lo que resulta simpático, pero, por otro lado, no tiene habitaciones, lo que resulta imprudente. Consiste en un pequeño bar en la planta baja, un restaurante que asciende tortuosamente desde el sótano hasta el primer piso y un desván abuhardillado de aspecto sospechosamente discreto, con una mesa redonda para reuniones que no se han celebrado nunca y un sofá con aires de diván donde siempre hay manchas sobre las que no conviene indagar si han sido causadas por la impaciencia de la prensa o por la morosidad de la justicia.

En el bar hay una regla punitiva: quien hable de política o mencione procesos judiciales en curso tiene que pagar a todos los presentes una ronda de lo que estén bebiendo en ese momento. Lo cierto es que se habla poco de otras cosas, así que los plutocráticos juristas hacen estómago a sádicos *steak and kidney puddings* o a masoquistas *fish pies* con abundantes sorbos de champán, y los pertinaces periodistas empinan tibias jarras de cerveza antes, durante y después de comer, pero todos ellos ejercen el sublime arte de hablar de lo que no están hablando y sin decir lo que están diciendo. Un poco como en el Portugal salazarista, no se resistió a ironizar José Viana cuando le explicaron la norma, pero en una versión consensuadamente británica y democrática, que le permitía hacer buen uso profesional de su antiguo entrenamiento en la clandestinidad política. Los ingleses apreciaron su *sense of humour* y muy pronto decidieron que *Vai-ana* era *one of us*. El Wig & Pen se volvió muy útil, por tanto, para sus maniobras ficticias con destinos reales, y no fueron pocos los casos perdidos que ganó por haber sugerido a sus colegas de la acusación, codificadamente, que seguiría una línea de defensa que después no seguía en el tribunal, pillándolos desprevenidos y convirtiendo en irrelevante toda la argumentación contraria que hubiesen preparado laboriosamente. Y así, por lo menos, lograba divertirse un poco con su vida profesional, compensando la monotonía cotidiana de los robos, cuchilladas, violaciones, fraudes, almas menoscabadas por la miseria de los cuerpos. Y compensaba también los vacíos en el alma que le causaba su propia existencia, activamente deshabitada por ejercicios sexuales ocasionales y cada vez más obsesivos. La edad exacerba lo que aún no ha podido eliminar.

La secretaria había sido un error. Después de la Revolución de los Claveles, ocurrida el 25 de abril de 1974, José Viana fue a Portugal, debió de dudar si quedarse o no, en Londres ya casi había afianzado su carrera profesional, regresó, la contrató. Se conocieron cuando ella trabajaba como intérprete de la policía en conflictos con inmigrantes portugueses. También ella hija de inmigrantes, era tan impecablemente bilingüe que a veces se traducía y retraducía a sí misma en la misma frase. El error no fue sólo ése, sino haberla usado en sus atolondrados primeros años en Londres para poder seguir viviendo como si la vida hubiese seguido después de la desaparición de Marta Bernardo. Por aquel entonces, la secretaria era aún una muchacha bonita y, sobre todo, poseía la gran cualidad de adorarle. Pero llevarla al espacio de sus vacíos sólo había servido para que éstos se tornasen aún más evidentes, y finalmente la pobre se transformó en la forma corpórea de su desesperación, haciendo que él abominase de los automatismos compensatorios de su propia sexualidad, ejercida cada vez más a disgusto, como el reverso del modo en que hubiese querido poder amar a Marta, y llegase incluso al maltrato, sin que eso le bastara o se convirtiese siquiera en su modo culpable de desear a otra mujer.

José Viana se alarmó por lo que le estaba sucediendo y desistió, no se consideraba un hombre malo por naturaleza, nunca había sido violento, fue lo suficientemente amable como para ayudarla a resignarse cuanto le convenía, incluso logró hacerle sentir que, al menos, su lugar en la vida de él no había sido ocupado por otra, que no podía haber ninguna otra si ya desde antes de conocerla a ella nadie había podido ocupar la presencia de la ausencia de su perdida Marta. Una forma rebuscada de insincera sinceridad, por tanto, que podría haberla herido, más que consolado, por no poder competir con un fantasma.

Aun así, sirvió para que la secretaria dejase de sentirse amenazada por lo que el Doctor hiciese o dejase de hacer con las transitorias otras de cuya existencia pudiese sospechar, por lo que su tolerancia se había convertido realmente en una forma de poder casi conyugal. Y él, siempre para no herirla más de lo que ya lo había hecho, comenzó igualmente a sentir una necesidad casi conyugal de ser discreto. El congénito espíritu de sacrificio de Miss Lisa Costa, no sometida por completo a la influencia inglesa, hizo el resto, ayudándola a racionalizar que los hombres portugueses necesitan esas cosas. Quizá también por eso, se convenció a sí misma de que tenía el tiempo de su parte, que con la edad él dejaría de necesitar a las ocasionales otras, pero nunca dejaría de necesitarla a ella. Y, de ese modo, fue ella quien se abandonó poco a poco, y fue envejeciendo y engordando, dedicada por completo a todo lo relacionado con la vida de él en el despacho, sin vida propia, sin otra identidad que la de indispensable e impecable colaboradora del doctor José Viana, de quien él mismo ya sólo pensaba en esos términos: Miss Costa, la perfecta secretaria.

Por tanto, las cajas que tenía en casa servían para lo demás, desde la del sencillo vino Periquita, que había comprado con sus primeros honorarios en el año 74, hasta las de las sofisticaciones más recientes de un Meursault y un Lynch-Bages. Esto es, contenían los vestigios de aquellos discretos encuentros sexuales rápidamente agotados, de algunas amistades superficiales, de la vida que no existe más allá de lo que se vive. Vestigios que, en verdad, como puede deducirse, no eran tantos, porque, incluso durante los placeres de ocasión que iba cultivando de manera obstinada, no podía dejar de sentir que estaba de paso, como si sus tres décadas en Londres no fuesen más que un largo paréntesis entre Marta Bernardo y nadie.

De Marta no conservaba nada, ni siquiera una carta o una fotografía. Cuando huyó de Portugal, habría sido peligroso llevar consigo alguna cosa que la identificase, ya que podían detenerlo a él. En todo caso, esperó que Marta se reuniese con él poco después. Pero nunca supo nada más de ella, y tampoco nadie supo decirle nada. Presuntamente presa, desaparecida, muerta. Como si no hubiese existido. La presencia de la ausencia.

De modo que lo único que José Viana había logrado hacer desde la humillación en el metro había sido cambiar de lugar, de una irrelevante caja de Chablis a una innecesaria caja de Pommard, algunas parcas evidencias de sus fallidos encuentros, nunca del todo compensatorios: cartas de otras mujeres, fotos de otras mujeres, agendas, programas de teatro, viajes sin un propósito claro, folletos de hoteles en los que había pasado el fin de semana con otras mujeres. Y tal vez él también habría concluido, como decía el poeta, que lo mismo daba blanco o tinto, si en ese preciso momento el teléfono no se hubiera puesto a sonar.

Era uno de esos teléfonos que nunca sabemos dónde hemos dejado porque se puede ir con él por toda la casa; lo encontró proféticamente sumergido en las antiguas reminiscencias de la caja de Periquita, y se puso muy pálido cuando, al otro lado del hilo, un policía le preguntó si aceptaba la llamada de una tal Miss Martha Barnardo, que había sido detenida en el aeropuerto. Cuando una inquieta voz portuguesa se puso al teléfono, no la reconoció enseguida, no la oía desde hacía más de treinta años. Pero después creyó que sí, que sólo podía ser la voz de ella.

21

2
El cuatro y el siete

El error estuvo en que la muchacha viajase con pasaporte. Si hubiese aprovechado los beneficios de la Unión Europea y presentado el carné de identidad, donde la fecha de nacimiento viene en el reverso, el relajado funcionario habría comprobado a lo sumo si la hermosa cara que tenía enfrente correspondía a la de la foto, antes de dejarla pasar en su fluido cuerpo entero hacia las cintas de recogida de equipaje. Pero en los pasaportes las fechas vienen junto a la foto, así que al funcionario le saltó a los ojos la cifra 1948 desde la página entreabierta, sonrió por el evidente lapsus propio de un burócrata semiperiférico y amablemente le aconsejó a la muchacha que, mientras estuviese en Londres, hiciese corregir en el Consulado aquel 4, que sólo podía ser un 7 con rayita en el medio, podría necesitarlo para identificarse en un banco, por ejemplo.

Pero ella, en vez de darle las gracias y seguir su camino, dijo:

–*No. I am she. She is me.*

El policía, que no entendía si aquello era sintaxis deficiente o un concepto críptico, repitió interrogativamente, con un inglés mejorado: «yo soy ella, ella soy yo», observando si la pronunciación aclaraba el concepto. Y después, mirando de nuevo la fotografía, hizo incluso un chistecito amable, convencido de la imposibilidad de que ella no fuese quien era:

—*Of course you are yourself. I understand.*

Pero que, de todos modos, hiciera corregir la fecha. Mientras tanto, la impenitente muchacha había sacado del bolso el carné de identidad con la misma fecha de nacimiento y todos los nombres coincidentes.

—*You see?*

El hombre vio, esta vez no le gustó, y fue entonces cuando empezó a desconfiar. Lo cual, en el caso de los ingleses, se transforma rápidamente en un proceso irreversible, como un mecanismo de poleas en marcha. Todo el mundo es de confianza hasta que no se sospeche lo contrario. Excepto, claro, los negros, los irlandeses, los sudamericanos, los bosnios y ahora, sobre todo, los islamistas, pero ella no parecía pertenecer a ninguna de esas u otras categorías dudosas, incluso usaba vaqueros claros de corte italiano, camiseta y *blazer*, como una cosmopolita Miss medio rubia y discretamente sofisticada. El funcionario le dijo que esperase un momento y anotó su nombre en el formulario correspondiente, suprimiendo todas las palabras que había entre el primer nombre y el último apellido, no eran más que extranjerismos innecesarios.

A partir de ese momento todo transcurrió con una corrección gélida, y comenzaron a tratarla de *Madam* en cada frase. Otro policía y dos empleadas sargentonas la acompañaron a una pequeña sala de interrogatorios revestida de madera blanca con agujeritos, donde había una mesa con tres sillas en un lado, para ellos, y una en el lado opuesto, para ella, y un teléfono en un rincón. Le ordenaron que escribiese su dirección en un formulario. ¿Y su dirección en Londres? No estaba segura, pensaba alojarse en un hotel. ¿Cuál? Aún no lo sabía, tenía una guía de Londres, siempre prefería ir a ver antes de decidirse, traía poco equipaje. ¿Era estudiante? Ah, periodista. Hum. ¿Carné profesional? Oh, no lo he traído, no venía a trabajar. *I see.* Le pidieron el resguardo del equipaje para que fuesen a buscarlo, le preguntaron una vez más cuál era el motivo del viaje, insistieron en que era muy extraño que no supiese en qué hotel iba a alojarse, en ese caso debía de conocer Londres muy bien, oh, sí, claro, era la primera vez que venía a Londres pero se fijaría en la guía, *of course, of course,* entonces qué países había visitado recientemente, cuánto dinero tenía, tarjetas de crédito, todo ello como si fuesen sordos y no hubiesen oído sus respuestas anteriores a preguntas idénticas, mientras el pasaporte y el carné de identidad pasaban de mano en mano para ser comparados el uno con el otro y ambos con ella.

—*So, how old are you, Ma'am?*

—*Twenty-six.*

—*But your documents say fifty-six, Ma'am. How do you account for that?*

¡Qué sabía ella! Si los documentos lo decían era porque tenía cincuenta y seis, ciento seis, lo que quisieran. Le era indiferente, los ingleses eran unos suspicaces, siempre se lo habían dicho. Lo mejor era decir lo que querían que dijese.

—*Yes, I am fifty-six.*

En un tono agresivo. Y ahora, ¿ya podía irse?

—*Not so fast, Ma'am.*

Vaciaron su bolso sobre la mesa: agenda, móvil, perfume, pintalabios, pañuelo, billetero con euros, sobre con libras, las tarjetas de crédito ya mencionadas. Una de las sargentonas comenzó a hojear la agenda. ¿Por qué no había una sola dirección inglesa? Sí, *of course,* ya lo había dicho, porque venía a hacer turismo sola y no tenía hotel, en una ciudad donde no conocía a nadie y nunca había estado antes. Totalmente normal. Pero ¿estaba realmente segura de que no conocía a nadie en Londres? Ella respondió otra vez que sí, que estaba segura, pero a continuación dijo que no, había olvidado que tenía el contacto de una persona. *Well,* ¿entonces conocía a alguien o no? Los otros dos revisaron la maleta, que había llegado mientras tanto, sin saber lo que buscaban ni cómo encontrar lo que desconocían, presas de una frustración creciente. Todo parecía auténtico menos ella. De ahí que la situación exigiese medidas drásticas: ¿tenía alguna objeción a que le practicasen un *body search?* Ella no sabía a ciencia cierta de qué se trataba, pero, tras ver la cara que ponían, preguntó de qué la acusaban, lo cual hizo que vacilasen por un instante.

—*We have our reasons* —dijo uno de ellos.

Teniendo o no sus razones, la pregunta ingenuamente legalista desencadenó pavlovianamente la respuesta estatutaria: tenía derecho a hacer una llamada telefónica. ¿Sabía el número de esa persona que conocía en Londres?, preguntó la de la agenda. Sí, creía que sí. Debía de estar ahí mismo, en la agenda, se acordaba de haberlo anotado en alguna parte. Sólo un nombre y el número de teléfono, no tenía la dirección. Que comprobasen si se encontraba al principio o al final de la agenda, *please,* no debía de respetar el orden alfabético, había sido una anotación de última hora, no tenía intención de usarla, ahora se acordaba de que tal vez estuviese en la última página.

—*Oh, doctor Shosse Vaiana. But he's known to us!*

Dado que lo conocían, ellos mismos hicieron la llamada, no era la costumbre en casos semejantes, pero estaban deseando zanjar aquella situación disparatada. Estaba claro que aquella muchacha no podía tener cincuenta y seis años. Estaba claro que en Portugal le habían puesto la cifra equivocada en uno de los documentos, y que éste había servido de base para el otro. Sin embargo, ella misma no había dado una explicación satisfactoria del error, ni reconocido al menos que había habido un error, incluso había confirmado la edad imposible como si ellos fuesen estúpidos, al fin y al cabo había mentido a la policía de Su Majestad Británica. Hoy en día, con el terrorismo por un lado, y las drogas y el tráfico sexual por el otro, las situaciones de ese tipo debían ser investigadas. Para colmo, ni siquiera sabía dónde iba a alojarse en Londres.

José Viana llegó poco más de media hora después, un tiempo récord incluso en domingo.

Le explicaron el problema en los términos jurídicos correspondientes y lo llevaron a la sala; sabía por experiencia que estaba provista de micrófonos ocultos para poder escucharlo todo en la sala contigua, donde seguramente ya había un intérprete con los auriculares puestos.

—*This is Miss Martha Barnardo, Sir.*

—¡Marta!

El asombro de José Viana se debía a que era ella pero no podía serlo. Aquélla era la joven a la que había conocido y amado treinta años atrás, pero con la edad que tenía entonces, no con la que debería tener ahora para poder ser la misma persona que había dejado en Lisboa, la que tendría que haberse reunido con él pero nunca lo hizo, la presuntamente presa, desaparecida, muerta. José Viana la miraba muy atento como queriendo recordar, era imposible que la memoria lo engañase. No sólo el nombre era el mismo; ésta era quien la otra había sido. Pero le hablaba como si nunca lo hubiese visto, agradeciéndole que hubiese llegado tan deprisa, sin explicarle cómo había obtenido sus datos, que, en cualquier caso, su perdida Marta no habría podido poseer. Estaba demasiado azorada como para interesarse por algo que no fuese su problema inmediato. Al poco, ella le formuló la pregunta que, profesionalmente, él ya estaba esperando: qué debía decirle a la policía. A lo que él respondió, recuperando su mejor tono de abogado honesto, que la verdad, sólo la verdad, pues podía depositar toda su confianza en la policía inglesa. Era lo que siempre quería que los intérpretes dijesen que él había dicho. Ella insistió entonces en que desde el principio había dicho la verdad, los documentos eran auténticos, lo que no entendía era por qué no creían en ella. ¿O era un delito ser quien era?

—¿Y el 4 y el 7?

—¿Qué?

Bien, podía estar tranquila. El problema ya no era ése, era evidente que no había cometido ningún delito, pero la policía consideraba que había un error que ella aún parecía no entender, bien, tranquila, se había puesto nerviosa, en esas circunstancias era natural, pero tranquila, ahora la prioridad absoluta era evitar que insistiesen en practicarle el *body search*, la inspección de las partes íntimas. ¿Sabía lo que eso significaba? Era lo que hacían para saber si las mujeres ocultaban drogas o diamantes en su cuerpo, una barbaridad. Que se calmase, no lo harían. Pero tendría que aceptar que la mandasen de vuelta en el mismo avión, en unos pocos minutos, con la recomendación escrita de que no viajase antes de haber corregido los documentos. Que dijese sí a todo, que se mostrase de acuerdo con todo. Podía contar con él, la policía lo conocía. Pero no había tiempo que perder.

Así fue. Ella le agradeció efusivamente que la hubiera salvado de la amenaza de aquellos horrores, lamentó el abuso, las molestias, le pidió que no dejase de verla cuando fuese a Lisboa, la dirección estaba en el formulario de la policía que él tenía enfrente, teléfono, fax, móvil, dirección de correo electrónico, acabarían riéndose de lo que había ocurrido. Y él de nuevo perplejo, pero al mismo tiempo tan determinado a fingir que no lo estaba que ni le preguntó cómo había obtenido su número de teléfono, el de su casa, cómo sabía quién era él, cómo había logrado encontrarlo. O acaso temeroso de la respuesta, como si renunciase a una explicación plausible.

Parece, por tanto, que José Viana prefirió volver a casa sin saber qué pensar, sabiendo tan sólo que no podía aceptar la imposible evidencia de haber reencontrado en aquella joven a la joven a la que había amado treinta años atrás. Y sabiendo también, aunque fuese a regañadientes, que tenía que haber una explicación plausible. La más plausible, que explicaría el nombre y el parecido físico, habría sido, claro, que ésta fuese hija de la otra. Pero no, nada estaba claro, la Marta Bernardo que había conocido no podía tener hijos, él lo sabía, habían vivido juntos esa imposibilidad. Por otro lado, el nombre no era raro, así que era completamente normal que otras mujeres se llamasen igual. Y el parecido físico, aunque ciertamente real, también podría haber sido exagerado por la memoria, si no por culpabilidades nunca resueltas del todo. Y, especialmente, quizá sintió nostalgia por lo que podría haber sido, una nostalgia cristalizada de improviso en esa imagen simultáneamente tangible y fantasmal de sus perdidos amores de juventud. Todo por culpa de aquella puta del metro, que hizo que se sintiera sin derecho a desear los cuerpos núbiles que deseaba, y que tomase conciencia de lo grotesco de sus carnes fláccidas rebosando junto a vientres lisos, nalgas firmes, cinturas, piernas, senos, la fuente suave de los secretos, labios que experimentaban el sabor de las mareas, el olor tibio del verano después de la lluvia.

José Viana había copiado los números de teléfono, móvil y fax, y el correo electrónico, que la muchacha había escrito en el formulario de la policía. Cuando llegó a casa, comprobó también la dirección de la casa. Sí, era la misma de la casa que había compartido con Marta Bernardo. Lo cual desafiaba todas las probabilidades. El mismo quinto piso cerca de la Seo, en la Rua do Barão. La visualizó de nuevo, como tantas otras veces. Salón con vistas al río Tajo, habitación desde la que se veía, a la derecha, el comienzo de la muralla del Castillo de São Jorge asomando por encima de los tejados.

3
Diletantes

Antes del 25 de Abril, esto es, desde finales de los años sesenta hasta mediados de los setenta, en Londres había un comunista portugués que era el único del que todo el mundo sabía que realmente lo era: el temible doctor Sereno, cuya misión en la vida era controlar a los emigrados políticos portugueses, lo quisieran o no. Había sacrificado una prometedora carrera científica a la causa del proletariado, u otros lo forzaron a sacrificarla —la PIDE,* profesores, colegas, incluso (pensaba) supuestos camaradas—, lo cual le daba derecho a indiscriminados delirios persecutorios. Delgado, austero, impenitente, emitía una risita que era casi un graznido —je, je— y tenía una mirada firme inspirada en la que le viera a Álvaro Cunhal cuando una vez le estrechó la mano, gloria inolvidable. El Partido debió de mandarlo a Londres por no soportar tanta pureza ideológica, según la ley del mal menor, pues el levantamiento popular británico no parecía inminente. Y después del 25 de Abril lo envió más allá del roquedal del Marão, tal vez para ver si era capaz de persuadir a los pastorcillos transmontanos de los beneficios de la reforma agraria. Tenía una vasta lista de «amigos» —«camarada» no

---

* Siglas de Polícia Internacional e de Defesa do Estado, policía represora creada en 1945 por el dictador Salazar. *(N. del T.)*

lo era cualquiera– a quienes entregaba regularmente el *Avante!* y otras publicaciones clandestinas seleccionadas según los méritos. Siempre entregas en mano, ya que desconfiaba del correo capitalista.

Durante mucho tiempo, el lugar de encuentro fue un pub en Baker Street –«Sherlock Holmes, je, je»–, donde había dos papagayos que incitaban al alcoholismo anunciando a porfía «last orders» y «drink up» siempre que se hacía el silencio. Cuando era el momento de hacer la entrega de los papeles, el doctor Sereno telefoneaba desde una cabina pública sin decir nunca el nombre, sólo un confidencial: «Hola, amigo, je, je». Y después, disimulando la voz con un pañuelo: «Mañana, a la misma hora, donde los animales».

Pero la rutina de los papagayos tuvo que cambiar cuando, tres veces en una semana, un autobús de la línea 82 se mantuvo todo el camino detrás de su cochecito destajista, un ideológico Skoda con el tubo de escape agujereado, y, por más que disminuyese la marcha y se arrimase a la acera, no lo adelantó. Conclusión, lo estaban siguiendo.

«¡Cuidado con el 82, amigo, je, je, cuidado con el 82!», decía con su habitual expresión que denotaba que sabía mucho más de lo que podía revelar.

En definitiva, el doctor Sereno servía a una buena veintena de compatriotas más o menos exiliados en Londres por razones políticas, militares o ambas, ya que unas podían llevar a las otras, compatriotas a los que, tal vez por no ser propiamente comunistas, pues de haberlo sido habrían tenido accesos más directos, siempre les gustaba recibir los periódicos y los panfletos que él les proporcionaba. E incluso les gustaba oírle proclamar los triunfos de nuestra gloriosa clase obrera; sentían una fuerte añoranza, así que aquello era mejor que nada. Los encuentros culminaban invariablemente con la recitación de los últimos eslóganes del Partido, un sólido apretón de manos como despedida y el incentivo:

—¡Esperanza, amigo, je, je, esperanza!

Y después repetía todo, sin desviaciones ideológicas ni improvisaciones pequeñoburguesas, a todos los demás «amigos» a los que se dedicaba a instruir por esa inmensa ciudad, de uno en uno, con papagayos o sin ellos, al servicio de la revolución.

A cambio, además del reducido coste del *Avante!* y de un vasito de sidra sin alcohol, para dejar claro el sobrio respeto debido al Partido, al doctor Sereno le gustaba que le contasen novedades sobre los otros portugueses que se encontraban en Londres, lo cual, sabrosas historias de revolcones aparte, que nadie en su sano juicio desperdiciaría en sus oídos puritanos, era evidente que ya sabía antes que nadie. Tanto es así que iba diagnosticando cada nombre mencionado con un epíteto elegido de su escala Richter de desprecio político: «diletante», «oportunista» y así sucesivamente, hasta «provocador» y, supremo insulto, «trotskista», para él aún peor que «policía», al menos éste no engañaba a nadie.

«Diletantes», en Londres, lo eran todos menos él, comenzando por los «amigos». Por ejemplo, en una reunión de la llamada «unidad democrática», uno de ellos propuso que se realizase una votación para decidir una trivialidad, importantísima en ese momento, que había dividido a los presentes en dos grupos irreconciliables, los que seguían la línea de París y los de Argel, mientras Londres, como siempre, se mostraba indeciso. El doctor Sereno declaró secamente la posición del Partido, que no coincidía con ninguna de las otras pero que, por eso mismo, como argumentó el «amigo» bienintencionado que había propuesto la votación, permitiría una solución de compromiso «legitimada por las realidades de la lucha dentro del país». Como quien dice: el PCP es el que se está jugando el pellejo en Portugal, no nosotros. Proponía, por tanto, que se votase por esa «justa alternativa». Que casi con toda probabilidad habría ganado. Pero el doctor Sereno atronó: «¡El voto es antidemocrático! ¡Je, je, diletantes!».

Y después, exagerando inaceptablemente lo que el diplomático «amigo» había dejado implícito, lo estropeó todo al reiterar con tono despectivo que las personas allí presentes no representaban la verdadera lucha en Portugal, la lucha del proletariado urbano y el proletariado rural, je, je, no había que olvidar nunca al proletariado rural, Catarina Eufémia,* je, je. Votaron y, claro, perdió, todos unidos contra él, olvidados ya de sus discordancias iniciales. Lo cual les demostró, a los de Argel, París y Londres, que, a fin de cuentas, la unidad entre ellos era posible, y al doctor Sereno le confirmó lo que siempre había sabido, es decir, que, como siempre, había tenido toda la razón.

Cuando José Viana llegó a Londres a principios de los años setenta, después de pasar unas semanas en Rotterdam, donde, por falta de dinero para ir a la peluquería, comenzó a dejarse una espectacular cabellera negra que exageraba la moda de los todavía vigentes *swinging sixties,* alguien tuvo la infeliz idea de contarle al doctor Sereno,

---

* Símbolo de la resistencia campesina contra el dictador Salazar en el Alentejo, murió asesinada en 1954, a los veintiséis años, durante una huelga de asalariadas rurales. *(N. del T.)*

con evidente entusiasmo, cómo se había presentado Viana en el Consulado, instando al horrorizado funcionario a que lo escribiese todo en la ficha de inscripción: «José Viana, licenciado en Derecho. Desertor. Peligroso comunista al servicio de Moscú. Seudónimo: Bernardo». Y al parecer añadió: «Nunca entendí por qué "Bernardo" encubre mejor que "José" o incluso "Viana", los camaradas sabrán. Pero no vale la pena que pongas esto en la ficha, no es información para la PIDE, es sólo una duda ontológica». Dicho lo cual, salió canturreando la *Internacional* escaleras abajo.

Pero el doctor Sereno no esbozó ni una sonrisa, y menos aún dio alguna muestra de admiración, todo él era labios fruncidos de desprecio:

—¡Diletantes! ¡Provocaciones! ¡Je, je, trotskista! ¡Provocador!

Seudónimo: Bernardo. ¿Verdad? ¿Mentira? Tal vez no era más que un deseo irresistible de pronunciar el apellido de Marta, de incluirla en la afirmación de libertad que había ido a hacer al Consulado, de decir en voz alta lo que en Portugal, fuese verdad o no, habría hecho que ambos acabasen en la cárcel. Es posible. Ciertamente, es más probable que si hubiera dicho que su nombre secreto era Marta y que era un siniestro travesti al servicio de Pekín. Pero convengamos en que incluso haber enunciado «Bernardo» podría haber sido peligroso para Marta, a la que él suponía en Portugal, aunque desconocía dónde exactamente ni en qué circunstancias. En suma, un diletante.

José Viana había sido, de hecho, miembro del PCP, en el grupo de los intelectuales, sector universitario. La guerra caliente en las colonias y la fría en el resto del mundo eran en aquel tiempo grandes catalizadores, inestimables agencias de reclutamiento de estudiantes cuyo futuro era tan dudoso como cierto que no podían creer en nada que oliese a propaganda del régimen imperante. Oficialmente no había ni guerra ni colonias, a pesar de la evidencia de los mutilados que hollaban con sus muletas las calles de Lisboa. Los estadounidenses estaban a favor y los rusos en contra. De momento, eso bastaba. José Viana, como tantos otros, creía que su deber era convencerse de que todo lo demás, incluyendo Praga y los gulags, habría que reconsiderarlo más adelante, aunque no se tratase tan sólo de propaganda antisoviética, aunque él mismo se sintiese moralmente contaminado. Sin embargo, también culpaba de ello al régimen, a la Censura, a la PIDE y a la guerra, que no le dejaban alternativas menos inciertas. Ya entonces era, por tanto, un militante inquieto y algo ambiguo, de esos que siempre acaban creando problemas, a sí mismo y a los demás. Tal vez ya estaba a punto de crearlos cuando conoció a Marta Bernardo, sin que ninguno de los dos supiese que eran camaradas, pues trabajaban en sectores diferentes, células impermeables.

Los orígenes de ella eran otros, había llegado al Partido por vías más complicadas, venía de la llamada clase obrera, si bien se había criado en una familia sin gran conciencia política y poco dispuesta a actos heroicos. Padre no obstante ambicioso, que había ascendido de los talleres a las oficinas de la firma J.J. Fróis & Sucessores, en Barreiro, tenía algunos estudios y trataba a los superiores con el debido respeto, gracias y disculpe. Madre temerosa de Dios y de su marido. La propia Marta había sido una niña católica y sumisa, a quien los magnánimos patronos de su padre pagaron los estudios secundarios en uno de los colegios de monjas que proliferaban para neutralizar latencias subversivas. Había en ese tiempo tres organizaciones de jóvenes pactistas cuyas siglas parecían haber sido inventadas para hacer reír cuando se las nombrara de un tirón: JEC, JOC, JUC. La primera era la Juventud Escolar Católica, la tercera la Juventud Universitaria Católica, y la de en medio servía para humillar a gente como ella, por mucho que hubiese ido al colegio o precisamente por eso, para que no se dejase llevar por delirios de grandeza: la Juventud Obrera Católica.

Pero la joven Marta ya no entraba en ese esquema, y tanto la humillaron, con frases como «nunca se olvide de quién es y de dónde viene», que perdió el respeto a sus superiores y, en consecuencia, la fe en Dios, el supremo amo de allí arriba, tal como les gustaba a los curas y a las monjas que ella considerase a Dios. Temperamento rebelde, deseosa de entender el porqué de las cosas, curiosidad intelectual insaciable, trabajadora, valerosa, la militante ideal para el Partido. Acabó el bachillerato superior a pesar de las monjas, se distanció de sus padres, quejosos de tanta ingratitud, y se mudó a Setúbal, con un empleo de secretaria en una fábrica de conservas, donde fue reclutada por el Partido. Y en cuanto pudo se trasladó a Lisboa, donde se mostró firme en su militancia y, como secretaria, no permaneció mucho tiempo en las mismas oficinas, por precauciones del Partido. La gran diferencia entre los católicos a los que había conocido y los comunistas a los que entonces comenzó a conocer era que aquéllos creían en la razón de su fe y éstos tenían fe en su razón, lo cual era mucho mejor incluso cuando las explicaciones que le daban explicaban demasiado y muy poco al mismo tiempo.

Hubo una denuncia, tal vez el Partido la había dejado demasiado expuesta dada su inexperiencia, pero ella sospechó que provenía de su madre, quien la consideraba un alma camino de la perdición, sólo susceptible de ser redimida mediante una purificadora terapia policial. Su padre consideraba que ella ya no tenía cura, sólo quería que los patrones la disculpasen, gracias por todo.

Ser de la clase obrera, aun habiendo dejado ya de serlo, no era condición recomendable en los interrogatorios, la PIDE también tenía su escala Richter de desprecio, métodos diferentes según el origen social. Marta debía de tener poco que decir que la policía no supiese ya, pero, siguiendo las buenas reglas que luego la confirmaron como comunista, se negó a prestar declaración ante una policía cuya legalidad no reconocía. Era la fórmula consagrada. Los debidamente autorizados defensores del Estado, por tanto, pasaron de las amenazas a los actos, era una joven apetecible, se excitaron. Lo que le hicieron durante tres semanas, penetrándola con instrumentos y sin ellos, de uno en uno o varios a la vez, hasta que la soltaron saciados, tuvo como consecuencia que Marta nunca pudiese tener hijos.

De ahí que José Viana supiese a ciencia cierta que la Marta Bernardo del aeropuerto de Londres no era hija de la otra, sin duda la explicación más plausible y menos fantasmal de las coincidencias que tanto lo perturbaron: semejanza física, nombre, domicilio. En tales circunstancias, habría sido de hecho plausible que la Marta a la que había amado hubiese podido rehacer su vida en ausencia de él; tener nuevos amores y una hija a la que le hubiese puesto su mismo nombre y que hubiese crecido parecidísima; recuperar, a su debido tiempo, el apartamento que se vio obligada a dejar cuando él abandonó Portugal, y, más tarde, cedérselo a su hija. Con la salvedad de que no podían ser madre e hija.

El primer encuentro de José Viana con su después perdida Marta se había producido por azar, pocos meses después de que ella hubiese salido de la prisión, sin que nada supiesen el uno del otro. Les tocó sentarse juntos en una de las sesiones del, por aquel entonces, imprescindible Cineclub Imagem. La película era *Les visiteurs du soir,* presentada, con las debidas sugerencias crípticas, como alegoría política aplicable a Portugal. José Viana no quiso volver a ver esa película nunca más, sospechaba que el cínico en que creía haberse transformado la encontraría ahora insoportablemente sentimental y sesuda, no quería contaminar la memoria del pasado, cuando ambos no tuvieron dudas de que era una insuperable maravilla, el pañuelo de él pasando a las manos de ella y volviendo a las suyas, ella asombrada y, más aún, conmovida por que hubiese en el mundo un hombre como aquél, grande y sensible, con quien podía compartir sus lágrimas de una forma tan natural. Al final de la película olvidaron el pañuelo en el reposabrazos que separaba las butacas de ambos y salieron cogidos de la mano.

Marta aún no sabía que era tan guapa como se permitió serlo después, ni tan inteligente como había sido siempre. José iba a la Loja das Meias a comprarle ropa francesa e italiana, a la librería Bertrand a adquirir todas las traducciones de autores rusos que hubiese, que era lo único que ella quería leer por razones ideológicas: Tolstói, Dostoievski, Chéjov, Turguéniev, Gorki, Gógol, hasta Pushkin en una traducción en prosa, muy antigua, descubierta en una librería de viejo. De los autores soviéticos no había nada en portugués, de modo que, gracias a los esfuerzos conjuntos de José Viana y de la Censura, la joven Marta Bernardo tuvo una excelente formación literaria. Después de los rusos vinieron los poetas que José se sabía de memoria: Cesário Verde, António Nobre, Fernando Pessoa, Luís de Camões, Baudelaire, de quien tradujo palabra por palabra «L'invitation au voyage» y después le dijo a Marta que el país parecido a ella era justamente ese en el que estaban, el país en el que vivirían cuando el mundo mejorase a imagen de su amor. Marta se reía, turbada y conmovida por el insospechado sentimentalismo de José, tapándose la boca con la mano como si estuviese prohibido sentir que la felicidad era posible.

Alquilaron el apartamento de la Rua do Barão. A nombre de ella, porque él estaba a punto de prestar el servicio militar y después se iría a las guerras de África. Cuando el Partido lo supo, desaprobó que viviesen abiertamente juntos, por motivos de seguridad. Pero ya estaba hecho, habían encontrado el paraíso en un quinto piso sin ascensor. Las escaleras no serían, no obstante, el mayor obstáculo para llegar allí, las circunstancias debieron de exigirles, a ambos por igual, una gran sensibilidad, un amor atento y generoso, cada uno deseaba el cuerpo del otro pero ella al principio no era capaz, el vientre se le contraía por el pavor de lo que le habían hecho cuando estuvo presa, por la amenaza de la despedida: si la detenían de nuevo sería aún peor, cuidado con lo que haces. Hasta que de repente todo sucedió como si nunca nadie le hubiese hecho daño, habían llegado al paraíso.

Fueron tres días y tres noches en los que sólo se interrumpieron para poder comenzar de nuevo —en la habitación, en el suelo del salón, apoyados en la ventana con el río al fondo– cuando, a disgusto, tenían que ir a comer algo, beber mucha agua, lavarse rápidamente. O, si no, simplemente permanecían acostados, el uno tan dentro del otro cuanto permitía la naturaleza, mientras los cuerpos reposaban, incapaces ya de obedecer a la voluntad, y hablaban de lo que ni siquiera sabían que estaban pensando, soñando en voz alta sueños compartidos.

Pero intervino la vida exterior. José Viana acabó la carrera y se fue a hacer el servicio militar, que lo prepararía para los cuatro años prescritos como oficial miliciano en una guerra que él consideraba carente de razón y de sentido, en la cual los opresores eran también los oprimidos. En el regimiento se hablaba de Guinea, también de Angola, lo menos malo sería Mozambique. De lo único que no se hablaba era de desertar, que había sido su intención desde el comienzo. Sin embargo, la posición del Partido a ese respecto no se lo ponía nada fácil: los militantes debían ir a la guerra con la misión de subvertirla internamente; y se debía alentar a los otros a desertar, ayudarlos si fuese necesario, para así debilitarla externamente. Pero José Viana estaba dispuesto a arriesgarlo todo, hasta el punto de ganarse la desaprobación del Partido, algo que incluso le inquietaba más que el inevitable castigo militar y la consiguiente intervención de la PIDE en el caso de que se descubriese el plan o éste fallase al ser ejecutado.

Tomó, por tanto, todas las precauciones posibles para proteger a Marta. Su intención era que ella se fuese con él o, si no era posible, que ambos se reuniesen después dondequiera que él se encontrase, no importaba en qué circunstancias, pues en la voluntad de ella el amor prevalecía sobre la lealtad al Partido. En sus días libres, José dejó de ir al apartamento para dormir con ella; ambos prolongaban las noches en largos paseos de enamorados. Adaptaron a su vida privada las reglas del Partido: encuentro fijado en un lugar previamente establecido; en el caso de que éste fallase, porque los días libres no caían siempre en fin de semana, a la misma hora del día siguiente en otro lugar; y, en el caso de que éste también fallase, recomenzar en el primer lugar, al día siguiente. El punto de encuentro inicial era la plaza del Príncipe Real, a causa del cedro, el árbol favorito de ambos en toda la ciudad, y la alternativa, el Jardim das Amoreiras, adonde también habían ido muchas veces cuando empezaron a salir juntos. Para casos de emergencia, añadieron otro toque idílico adecuado a sus amores: el dibujo de un árbol en una hoja de papel que él dejaría en el buzón o, si fuese posible, sobre la mesa del salón, lo cual significaría que el proceso de los encuentros debía comenzar inmediatamente.

La oportunidad de que José Viana saliese del país surgió de repente. En un carguero rumbo a Rotterdam, que levó anclas en la madrugada del día siguiente, viernes, 2 de junio de 1972. Una organización de la izquierda holandesa lo había preparado todo, no había tiempo que perder. Aun así, la tarde del jueves se arriesgó a ir a la Rua do Barão y dejar sobre la mesa del salón el dibujo de un árbol. Aguardó mientras pudo en la plaza del Príncipe Real. Incluso pasó por el Jardim das Amoreiras. No pudo esperar más, tuvo que irse con los holandeses sin ni siquiera haber podido decirle a Marta adónde se marchaba. Le escribió desde Rotterdam y después desde Londres, sin respuesta. Teléfono sospechosamente averiado.

A sus padres no les había hablado siquiera de sus planes de fuga, se justificó como pudo cuando finalmente les telefoneó desde Londres, pidiéndoles mil disculpas, no había querido comprometerlos, pero, aun así, no logró resistirse a pedirles que buscasen a Marta, a quien ellos no conocían, en el apartamento cuya existencia ignoraban. El padre estaba enfermo, le costaba caminar. Pero fue. Los vecinos no dijeron gran cosa, parecían amedrentados, sólo una mujer de más edad que vivía en el cuarto piso dio a entender que la chica del piso de arriba se había marchado de repente, que debía de saber algo su amigo, el que estaba en el ejército. Desesperado, José Viana recurrió al Partido, buscó en Londres al doctor Sereno, que primero se dispuso a ayudarlo pero después, recibidas las informaciones que solicitó de Lisboa, rehusó cualquier otro contacto con él.

Lo primero que hizo José Viana cuando pudo volver a Portugal, el 27 de abril de 1974, fue ir a la casa que había sido suya y de la desaparecida Marta Bernardo. Maletas aún sin abrir, toda la ciudad celebrando la revolución y él sentado en el escalón de la puerta de la calle, a la espera de no sabía qué. Al anochecer llegó una joven pareja con dos hijos, una niña a hombros del padre y un chiquillo que se arrastraba pegado a las piernas de la madre, rezongando muerto de sueño. Sí, ellos vivían en el quinto piso. Pero no conocían a ninguna Marta ni a ninguna familia Bernardo. El apartamento estaba vacío cuando lo alquilaron, hacía casi dos años.

El hombre y la mujer, llenos de fervor revolucionario, se ofrecieron a ayudarlo cuando entendieron las circunstancias sentimentales exacerbadas por las connotaciones políticas. Preguntarían a los vecinos, tal vez alguno de ellos supiese adónde había ido Marta Bernardo, qué le había ocurrido, si alguien supiese algo seguramente le ayudaría, ahora ya no había nada que temer, aquél era un edificio de gente trabajadora, sin explotación capitalista. Bueno, también era verdad que el apartamento, con salón y una sola habitación —sí, José se acordaba perfectamente—, ya era pequeño para los cuatro, además de que los niños se pasaban todo el tiempo quejándose de las escaleras. Pero con la revolución conseguirían algo mejor, ahora el país sí que iba a avanzar, ¡abajo el fascismo!, ¡ni un soldado más a las colonias!, ¡abajo la plusvalía!, ¡viva la justicia social!

José Viana volvió al día siguiente y, dos días después, habló él mismo con los vecinos, pletóricos de una inútil buena voluntad. La mujer mayor que su padre había mencionado ya no vivía allí, los demás ni siquiera sabían si aún estaría viva. Preguntó en las tiendas del barrio si se acordaban de Marta. Sí, había quien se acordaba de ella, e incluso de él, pero que disculpase, habían dejado de verla de un día para otro, como a él mismo. Hubo uno que hasta se acordaba perfectamente de haber encontrado extraño que desaparecieran así, de repente, de lo que ya no se acordaba era del año, eran cosas que ocurrían en esa época, mejor no hacer muchas preguntas, cosas del pasado.

Pero de ese otro pasado, constituido por la primera visita de José Viana a Lisboa después del 25 de Abril, hacía ya treinta años, cuando la joven que le había telefoneado desde el aeropuerto de Londres ni siquiera había nacido, en el caso de que el sospechoso 4 de los documentos de identidad fuese, en realidad, un 7. Mientras tanto, tal vez la buena gente que entonces vivía en el quinto piso de la Rua do Barão haya acabado beneficiándose de la revolución, se haya mudado a un apartamento de tres habitaciones en una urbanización de Miraflores y vote al CDS-PP.* Mal negocio, no sólo político, porque su antiguo apartamento, salón con vistas al río y dormitorio que da a la Costa do Castelo, el mismo que fuera de José Viana y Marta Bernardo y que ahora era de esta otra Marta Bernardo que parece pero no puede ser la misma, está irreconocible en el edificio meticulosamente restaurado y vale una fortuna, con ascensor hasta el quinto piso y Mini Cooper plateado, de los modernos, delante del portal.

* Partido minoritario de la extrema derecha portuguesa. En 1991, el CDS, Partido do Centro Democrático Social, pasó a denominarse Partido Popular, aunque mantuvo las siglas CDS junto a PP. *(N. del T.)*

4
La clave de los sueños

Era indudable que José Viana decidiría que tenía que ir a Lisboa a encontrarse con esa Marta que no podía ser Marta, pero sólo lo comprendió después de un sueño que tuvo. De hecho, creía que los sueños servían justamente para eso, para evidenciar las evidencias y arrojar luz sobre las confusiones de la vida con otras confusiones. Creía también que entender los sueños no era muy diferente de lo que él solía hacer en la práctica jurídica. «Ha sido como un mal sueño», decían muchas veces sus clientes, aún perplejos ante los actos irracionales que habían sido capaces de cometer o que contra ellos se habían cometido.

Para el doctor José Viana, el mayor desafío intelectual, el estímulo que le motivaba, era cómo transformar ese mal sueño en un relato de los hechos en el que el jurado no se enfrentase a los abismos psicológicos de los acusados, pues si así ocurriese sería un caso perdido, sino en el que reconociesen su propia normalidad. Llevado al terreno de los hechos plausibles, el mal ejemplo mítico de la historia del joven Edipo, que mató a su padre y poseyó a su madre, habría sido tan sólo un lamentable accidente, resultado de la agresión de aquel señor arrogante que, al fin y al cabo, ni padre había sabido ser, legítima defensa frente al ataque armado de un desconocido cuando el muchacho iba pacíficamente camino del colegio, meditando sobre las preguntas de sus exámenes, y lo que años después ocurrió con su señora madre podía ser considerado incesto sólo técnicamente, porque no había sido más que la consecuencia de un comprensible equívoco, nadie podía imaginar que aquella mujer de apariencia tan joven, que, por cierto, debió de ser quien inició la relación, y a la que el acusado no había visto nunca, era su propia madre. A lo sumo, dadas las circunstancias atenuantes, suspensión de la pena por el ocultamiento del homicidio involuntario cometido cuando el acusado aún era un menor sin responsabilidad legal. La defensa estudiaría, en todo caso, la posibilidad de solicitar que se abriesen diligencias contra el Registro Civil inglés, por los sustanciales daños y perjuicios causados por tan notoria y, en última instancia, criminal ineficiencia en la transcripción de los documentos de identidad portugueses con los que, siendo todavía un bebé, el señor Edipo dos Santos había entrado en el país en brazos de sus padres adoptivos. La legislación de la Unión Europea se mostraba explícita a ese respecto.

José Viana creía reconocer también su propia normalidad en los sueños que tenía, y no se dejaba alarmar por lo que freudianamente daría en llamarse «su subconsciente», el cual nunca había hecho que se enfrentase a las sorpresas de tabúes ineludibles. Al fin y al cabo, los sueños no eran más que imágenes emanadas del pasado, y él siempre había preferido desear el futuro a lamentar el pasado, a pesar de lo que hubiese en el suyo de lamentable, que lo había. Pero no creía en la existencia de un universo intangible o fantasmagórico. Y seguía sin creer en ello a pesar de la fatídica llamada desde el aeropuerto, a pesar del encuentro con la joven que no podía ser Marta, y a pesar del extraño sueño que tuvo poco después.

El problema de los sueños, sin embargo, es que nunca se sabe lo que en ellos es realmente pasado y lo que pretende ser futuro, lo que es memoria y lo que es deseo. Tanto es así que hubo un profesional de esas cosas cuya especialidad era saber distinguir precisamente eso. Abrió un consultorio en Éfeso, actual Turquía, tenía clientes de toda Grecia y Roma, y escribió un mamotreto sobre el asunto, titulado *Onirocrítico*, o *La interpretación de los sueños*. Se llamaba Artemidoro. Era una especie de Freud pagano, que es como quien dice un anti-Freud antes de tiempo, porque vivió hacia mediados del siglo II después de que Cristo hubiese intentado persuadirnos de que la culpa siempre es nuestra. Artemidoro evitaba ese tipo de demagogia divina dividiendo los sueños en dos especies distintas: los individuales y los impersonales. Los primeros remitían al pasado y los segundos al futuro. Los sueños individuales no le interesaban en absoluto, porque derivaban de experiencias recordadas, olvidadas o transformadas por cada uno, vidas privadas que, al fin y al cabo, eran muy parecidas en toda la gente: alegrías, disgustos, traumas, miedos, fobias, hábitos, deseos, placeres, represiones, infancia, sexo, papás y mamás, digestiones difíciles, borracheras mal digeridas; en suma, todas las trivialidades que el intrigante de Freud considerará posteriormente como claves de la mente. En contrapartida, los sueños que no se pudiesen explicar fácilmente como los efectos psicológicos subjetivos de circunstancias individuales ya no serían propiamente sueños, sino visiones objetivas y, en cuanto tales, dignos de análisis como prefiguraciones de acontecimientos aún no ocurridos, como claves del futuro. Y puesto que el futuro es siempre lo que más conviene conocer, el consultorio de Artemidoro era un no parar, todo pagado en buen oro de ley.

No se sabe exactamente cómo debía de ser la rutina en el consultorio, pero, dadas las prácticas actuales equivalentes, es de suponer que el cliente contaría su sueño recostado en la otomana turca y el analista tomaría notas mirándolo de reojo. Después, éste haría las preguntas necesarias para comprobar las circunstancias sociales del cliente, las experiencias pasadas, los hábitos presentes, en fin, la historia clínica. Y cuanto menos plausible fuese el sueño, más interés mostraría.

Por ejemplo, un día se presentó en el consultorio un señor todavía joven y de buena condición social que estaba muy inquieto porque había soñado que hacía el amor con su madre. Freud enseguida habría dejado caer la pipa con lascivo entusiasmo, claro: no cabía duda, ahí estaba otra vez el complejo de Edipo, *natürlich!* Y con su papá, ¿se lleva bien? Pero el probo Artemidoro sólo comenzó a interesarse cuando supo que la mujer había muerto de parto, al dar a luz al cliente. Ese sueño representaba, por tanto, una manifiesta imposibilidad, así que merecía la pena continuar. Quiso entonces saber si, en el sueño, al hacer el amor con su madre, la había tratado con el debido respeto. Una vez el joven le hubo asegurado que sí, que incluso la había tratado con cierta ceremonia, Artemidoro diagnosticó que era un sueño magnífico, en adelante el cliente conseguiría controlar su propio destino, tal vez obtendría en breve un importante cargo ceremonial, en todo caso entraría en una nueva fase de su vida, en la cual gozaría del respeto de toda la comunidad.

Pero otro cliente no tuvo tanta suerte. Había soñado que realizaba un acto sexual menos convencional con una prostituta; en fin, ya que debía especificar más, lo diría en latín: *cunnilingus*. Artemidoro lo escuchó con la debida seriedad, pero, para cerciorarse de que era un sueño útil, le preguntó si en la vida real solía hacer cosas así. Y cuando el hombre, medio avergonzado, respondió que bueno, sí, a veces, es más, no le disgustaba, Artemidoro vociferó que lo único que ese sueño significaba es que el tipo era un cerdo, y lo echó del consultorio sin profecía, semejantes inmoralidades no le interesaban.

No obstante, incluso un sueño genuinamente despersonalizado podía presagiar futuros diferentes según las circunstancias de quien lo soñase. La psicología profética de Artemidoro no era cosa de aficionados, también incluía el rigor de las ciencias sociales. Él mismo da en el *Onirocrítico* el ejemplo didáctico de alguien que sueña que su cuerpo está hecho de oro, algo obviamente imposible y, por tanto, científicamente significativo. Y explica: si quien sueña es un esclavo, será vendido en breve, su cuerpo se transformará en oro para beneficio de su amo; si es un ciudadano pobre, albricias, se hará rico; pero si es rico, deberá precaverse, pues será víctima de una traición o de una emboscada, porque todo lo que está hecho de oro atrae la codicia.

José Viana es un hombre moderno, posfreudiano, no necesitaba psicologías ni profecías para interpretar sus sueños habituales. Sin embargo, el último que tuvo despúes del incidente del aeropuerto quizá era más complicado, cuesta deducir lo que podía tener de reconocimiento del pasado o de advertencia para el futuro.

En cuanto a los otros sueños, los habituales, muchas

veces ya sabía que los estaba soñando en cuanto comenzaban. Sobre todo, dos sueños recurrentes, que siempre eran precedidos por una latente sensación de expectativa, hasta que reconocía, ya como parte del sueño, cuál de ellos estaba ocurriendo de nuevo y qué variaciones incorporaría a la semimemoria de versiones anteriores. Ambos representaban situaciones de frustración y dificultades que debía superar, pero aun el más desagradable de los dos no era propiamente un sueño angustioso, no llegaba a serlo o, por lo menos, no se sentía angustiado cuando lo soñaba, porque al reconocerlo previamente podía expresar y neutralizar al mismo tiempo las emociones que se encontraban en su origen. Marta Bernardo aparecía raras veces en esos sueños, pero era siempre una presencia implícita, una ausencia vertebradora. Uno de los sueños trataba, explícitamente, de la relación de José Viana con sus padres, de la culpa que sentía por haber salido de Portugal sin haberse despedido de ellos.

Tampoco había vuelto a verlos. No pudo ir al entierro de ninguno de los dos, eran muertes que se habían mantenido incorpóreas, como la desaparición de Marta. El padre ya estaba enfermo cuando él salió de Portugal, murió unos meses después, y la madre le sobrevivió poco más de un año, murió sin causa clínica previamente detectada. El padre habría deseado que él heredase su práctica de abogado en Lisboa, fue siempre un hombre íntegro, un liberal conservador a la manera inglesa, que había defendido a presos políticos a pesar de no compartir sus ideas. Simplemente consideraba que tenían derecho a sustentar sus propias opiniones, aunque fuesen equivocadas. No obstante, su actitud en relación con los comunistas era más crítica, desaprobaba sus métodos y desconfiaba de sus intenciones. No supo que el hijo había estado ligado al Partido hasta que dejó de estarlo, cuando le llamó desde Londres y le pidió que fuese a buscar a Marta al apartamento que, y esto tampoco lo supo hasta entonces, había compartido con ella en la Rua do Barão.

José Viana siempre había tenido una relación más fácil con su madre que con su padre. El padre era la ley, el patrón moral. La madre era la intermediaria que humanizaba la ley. A la madre podría haberle hablado de Marta, habría logrado que lo entendiese y aceptase. Si hubiese podido hablarle de la posición política que había adoptado, tal vez no lo habría entendido, pero, sin duda alguna, antes que condenar a su hijo, se habría preocupado por los peligros que estaba corriendo. En cuanto a su padre, José Viana pensaba que no lo habría entendido ni aceptado. Se mantuvo en la clandestinidad, por tanto, también en relación con su padre, quizá no se había tratado única y exclusivamente de una opción política.

Sea como fuere, en la carta enviada desde Rotterdam les había explicado a sus padres que había salido de Portugal sin despedirse a causa de los riesgos que ello implicaba, para no comprometerlos en caso de que fallase el plan de deserción. Pero, tras esa desesperada llamada desde Londres, a su padre no sólo le quedó claro cuál había sido la actividad política de su hijo, sino también que la prioridad de éste era encontrar a esa dudosa comunista, que formaba parte de toda una vida secreta que los excluía. Una relación claramente impropia, pues ni siquiera había tenido el valor de mencionarla. Así, su hijo resultaba ser un desconocido. No obstante, ni él ni su madre lo censuraron, tal vez ellos mismos necesitaban aceptar como válidas sus razones, profusamente reiteradas. Pero, tras la muerte de ambos, el daño que José Viana ya había sentido que les causaría durante esa lamentable llamada, de un egoísmo infantil —mientras hablaba se le oprimía el corazón, pero era incapaz de detenerse, hasta que fue demasiado tarde—, se había vuelto desoladoramente irreparable.

La situación básica de ese sueño, con algunas variaciones de lugar y circunstancias, era un encuentro fijado con sus padres, a veces en un restaurante que por fuera parecía una especie de templete circular en medio de un jardín, con persianas cerradas y un tejado metálico terminado en punta, donde hablaban portugués aunque se hallase indudablemente en Londres, tal vez era el propio Wig & Pen, porque estaba situado frente a los Royal Courts of Justice, aunque fuese extraño que hubiera allí un jardín y que exteriormente el edificio presentase un aspecto tan diferente. Primero tenía que resolver un caso jurídico, hasta le habría gustado saber la opinión de su padre, se trataba del juicio de un muchacho portugués acusado de haber violado a su novia, si bien ambos aseguraban que no, que había sido la propia policía durante los interrogatorios, el caso se resolvería rápidamente, seguro que llegaría a tiempo. Era reconfortante tener la confirmación de que al final sus padres estaban vivos, siempre lo había sabido. Mientras soñaba, sentía que le habría gustado poder prolongar esa parte del sueño, el padre incluso estaba mejor de salud que la madre, era ella quien caminaba con dificultad, daba mucha pena. Se habían mudado al otro lado del Tajo y vendido el coche, esa parte del sueño le sorprendía siempre, no lo habían informado de la mudanza y no entendía por qué razón habían elegido una casa aislada en los alrededores de Setúbal, donde sabía que nunca habían vivido, el padre ya no podía conducir, debería haber ido a buscarlos a casa, pero no tenía la dirección de Setúbal, o, por lo menos, ir a esperarlos al embarcadero del Terreiro do Paço, pero si fuese podría no encontrarlos, ahora lo más importante era ir al restaurante, donde, al fin y al cabo, ellos ya se encontraban, y Marta llegaría poco después, pero no la conocían, no podían esperar más, eso fue lo que le dijeron al encargado, no dejaron ningún recado, en el restaurante nadie sabía adónde se habían ido, al final él se había equivocado de hora y ni siquiera le había dicho a la secretaria dónde era el encuentro, para que los avisara.

José Viana aceptaba este sueño de evidentes culpabilidades resucitadas como algo justo y normal, se despertaba triste pero resignado, y se pasaba el día melancólico.

El otro sueño recurrente era mucho mejor, más estimulante. En éste, debía llegar a un apartamento que él tenía en el último piso de un edificio sin escaleras. En una de las variantes, el único acceso posible era a través de los apartamentos de los demás vecinos, serpenteaba por ellos furtivamente, abriendo y cerrando puertas de habitaciones vacías, subiendo de una ventana a la de arriba con las debidas precauciones para que no lo pillasen, para no tener que dar explicaciones a los vecinos, a quienes oía a lo lejos, haciendo su vida sin reparar en él. Siempre acababan descubriéndolo, pero no importaba, estaba preparado, le pedía al vecino que no se asustase, era otra vez el problema de las escaleras, tenía que comprender que necesitaba pasar por allí para alcanzar el piso de arriba, y después desde éste alcanzaría los otros, antes de llegar al suyo.

55

Pero en otra versión del sueño se acordaba a tiempo de que, en realidad, no necesitaba ir por las casas de los vecinos, estaban aquellas escaleras laterales oscurísimas que nadie más sabía que existían porque sólo daban acceso directo a su apartamento, no había escaleras que llegasen hasta los otros apartamentos. El problema, en este caso, era cómo no pisar las sombras que había sobre los escalones, unas sombras que parecían cuerpos adormecidos, sabía que no debía despertarlas, reconocía muebles antiguos de la casa de sus padres en los rellanos, el collar del perro, su primera bicicleta con freno de pedal, una bolsa que Marta tenía siempre lista para casos de emergencia, un maletín rectangular de color rojo que era el gramófono de cuerda His Master's Voice que sus padres le habían regalado cuando cumplió siete años y que él había roto, pero que, de todos modos, funcionaba perfectamente.

Tanto en una versión como en la otra, acababa por llegar al piso de arriba con el alivio de la misión cumplida y el reconfortante reconocimiento de que su apartamento era el de Londres, en la Bloomsbury Square, pero mucho más vasto y con vistas al Tajo y al Castillo de São Jorge.

Poco después del incidente del aeropuerto, sintió que iba a tener uno de sus sueños recurrentes cuando una noche comenzó a soñar, porque la impresión premonitoria era la de siempre. Pero se trataba de un sueño nuevo, y lo que realmente estaba sintiendo era que no lo olvidaría.

Vio un campo florido en el declive de un otero, con altos árboles de un color gris verdoso que identificó como fresnos, y encontró extraño saber de qué árboles se trataba, porque nunca había visto ningunos así, con hojas que eran largos ojos verdes y troncos que eran patas de cigüeña. Había también un arroyo que corría entre las piedras cubiertas de musgo, con una roca en el medio que crecía hasta volverse gigantesca y alcanzar la altura de los árboles. Notó que la roca tenía forma humana y entendió que era él mismo, y simultáneamente se vio a sí mismo caminando junto a una mujer tan frágil y delicada que apenas se distinguían los movimientos de su cuerpo dentro de la bata de hospital que llevaba puesta, o quizá fuese una bata de prisionera, porque tenía cruces azules estampadas sobre un fondo blanquecino. A su lado, él parecía enorme, llevaba la toga negra y la peluca blanca de los juicios criminales. El yo de piedra que los observaba a distancia y no podía acompañarlos sabía que la joven mujer era Marta, pero en el sueño José no la conocía, era alguien a quien nunca había visto. Debía de tener los ojos castaños, como Marta, y el flequillo sobre la frente y las cejas en forma de ala los hacían más luminosos, pero los ojos de esta mujer se habían vuelto verdes porque había llorado, nunca había notado que las lágrimas modificaran el color de los ojos. El yo de piedra habría ido a consolarla, pero tenía los pies presos en el lecho del arroyo, sentía que el agua crecía a su alrededor, y dejó de ver a las otras dos figuras.

Estaban ahora en una carretera de tierra roja, en medio de un descampado, en un lugar que parecía ser África, era ella la que estaba consolando a su compañero, que ya no se veía tan gigantesco vestido con pantalones caqui y camisa de manga corta. Ella también se había cambiado de ropa, vestía los vaqueros claros y el *blazer* que llevaba en el aeropuerto. «Hay que hacerlo», dijo ella, «hay que hacerlo.» Él le apretó la mano, no quería dejarla ir, pero también sabía que había que hacerlo. El taxi se acercó, el conductor militar era un tipo gordo, sin afeitar y malhumorado. Gritó por la ventanilla que era su última carrera y que, por tanto, sólo podía llevar a un pasajero. Ella dijo que era ella, que había que hacerlo. Subió al taxi y éste se la llevó, en medio de un torbellino de polvo pertinaz, hasta que desapareció tras la curva de la carretera. Pero ella seguía a su lado. Y entonces él comprendió que, hasta ese momento, aquella mujer que permanecía a su lado también había sido la otra, la que se había marchado, que las dos habían sido la misma, una sola, que compartía con él los mismos recuerdos, pero también comprendió que ya no eran la misma, en adelante todo lo que ocurriese sólo podría compartirlo con ésta, la otra quedaría para siempre excluida, pero se había llevado consigo la memoria del pasado que ésta, sin ella, no podría tener, y que él, con ésta, también perdería. No quería que así fuese, quería a la otra, ésta no era la misma, era una impostora, la otra moriría en cuanto el taxi llegase al hospital, tenía que impedir que llegase porque, a su llegada, él mismo estaría allí para matarla, debía matar a la que estaba a su lado y no a la otra, quería correr tras el taxi pero no lograba mover los pies, eran de piedra, estaban hundidos en el agua del arroyo.

José Viana sintió entonces una intensa angustia, como nunca la había sentido en otros sueños, recurrentes o no. Se despertó oyéndose gemir, las sábanas empapadas en sudor.

Estuvo dos días esperando a que se mitigase la inquietud que le había causado el sueño, volviendo a ver imágenes, encontrando explicaciones. Concluyó que, transformado en narrativa, no era más que la historia de un hombre viejo —se corrigió, de un hombre de mediana edad— con miedo a liberarse del pasado, con miedo a no tener ya futuro. Y está claro que era eso lo que quería que significase el sueño, y nada más. Lo que los Freud de este o del otro mundo pudiesen añadir no le interesaba lo más mínimo, de cualquier modo no le depararía grandes sorpresas, era lo que pensaba siempre. Y como nunca había oído hablar de Artemidoro, se mantuvo en sus trece, si bien notaba, con la debida ironía, cuánto le había perturbado la reaparición de la imagen de la mujer a la que había amado bajo la figura de otra igual a ella.

Fue entonces cuando decidió pasar dos días en Lisboa, más tiempo sería profesionalmente complicado, y hacer una visita a la joven Marta que no era Marta ni podía serlo.

5

Capillas imperfectas

Y que, en realidad, ni siquiera se llamaba Marta Bernardo, sino Maria Júlia Moraes Teixeira de Sousa Bernardes, y que, por cierto, como había declarado honestamente, es periodista, de nombre profesional Júlia de Sousa. Por tanto, la policía de inmigración del aeropuerto de Londres debió de escribir «Maria» con una «i» que parecía una «t», transformando «Maria» en «Marta», al suponer que en una portuguesa «Maria» contaba como nombre, cuando no es más que una especie de himen bautismal, y «Bernardo» o «Barnardo» en vez de «Bernardes», tal vez porque hay una institución británica de hogares para niños desamparados llamada Doctor Barnardo's, en homenaje a su benemérito fundador. Y también porque no sólo los burócratas semiperiféricos cometen errores.

Ya sabemos, por tanto, su nombre y profesión. Una vez corregidos los documentos, resulta que tiene veintiséis años, no cumplirá los veintisiete hasta principios del próximo año. De su aspecto físico también sabemos algo, además del parecido con la otra, que tendría ahora cincuenta y seis o cincuenta y siete años. Por lo que se deduce del sueño que tuvo José Viana, si bajo la bata de hospital o de prisionera no se distinguía su cuerpo, que tanto podía ser el cuerpo de ella como el de la otra, es porque es delgada. Ojos castaños, aunque, para haber parecido verdes a causa de las lágrimas, deben de tender más hacia el castaño claro que hacia el oscuro. Y con la luminosidad acentuada por las cejas alzadas a los lados. El cabello castaño en correspondencia con los ojos, de ese tono portugués que adquiere tentaciones hacia el color rubio después del sol del verano. Como es delgada, no será exagerado suponer que tiene los pómulos bien definidos y una nariz digna, nada que ver con esas narices insulsas de muñeca, y ojalá que tenga una boca amplia, que sepa reír, con dientes capaces de morder. Al lado de José Viana parecía pequeña, pero como él es corpulento y en el sueño estaba agigantado, no ha de ser necesariamente baja, siendo portuguesa incluso puede ser considerada alta, además de que, a juzgar por los vaqueros italianos, la camiseta y el *blazer* que llevaba en el aeropuerto, y que le quedaban tan bien que al principio el policía se había mostrado lleno de buena voluntad, no es probable que tenga piernas gruesas ni senos que abulten demasiado bajo las solapas. Ah, y lleva flequillo.

En cuanto a otros detalles de su vida, se graduó en ciencias de la comunicación, o comoquiera que se llame esa carrera que en principio debía ser un popurrí demagógico, pero que en la universidad lisboeta que le cayó en suerte por lo menos no era tan inconsecuente como la filología portuguesa en que se había matriculado al principio, donde supuestamente tenía a los mejores profesores de literatura, aunque, por eso mismo, en general estaban demasiado ocupados con otras actividades.

Inició su carrera periodística en la *Voz do Sado*, en Setúbal, pero eso significó tener que irse a vivir con su padre, pequeño potentado local ligado a la industria del vino, que le había conseguido ese trabajo y con quien no vivía desde que era pequeña, exceptuando las vacaciones de verano en años alternos. Prefirió volver a Lisboa, a la modesta casa de su madre, con la esperanza de que surgiesen oportunidades, cosa que finalmente empezó a suceder con razonable regularidad en uno de los principales periódicos, gracias al apoyo de un influyente columnista que no exigía nada a cambio, ni de ella ni de la vida, pero que, por eso mismo, nunca dejaba de apreciar algunos revolconcillos sin compromiso, y Júlia nunca había sido ahorradora, ni en relación con el dinero ni consigo misma. Al menos, ya no necesitaba hacer traducciones, sobre todo de obras comerciales, aunque últimamente tampoco hacía las que, a pesar de que se pagaban peor, siempre había preferido, las de novelas menores que los editores le enviaban cuando tenían prisa y los traductores más prestigiosos estaban ocupados en ambiciones más altas.

Tal vez creía que su inglés era mejor de lo que realmente era, como evidenciaron los malentendidos ocurridos en el aeropuerto de Londres, aunque no sea peor que su francés, como corresponde a su generación. Pero escribe en un portugués impecable y sin pretensiones, con una oralidad bien trabajada que, no obstante, tiende a abusar de partículas un poco en desuso, como «con respecto a», «por tanto», «pues» o «ello»; el «con respecto a» y el «por tanto» los había heredado de su padre, «pues» y «ello» de su madre. Todo eso, en cualquier caso, se revelaba auspicioso para sus planes de encaminarse lo más pronto posible hacia la llamada creación literaria.

Fue su padre quien le dio el finalmente utilísimo contacto de José Viana días antes de que ella se fuese a Londres, ambos habían sido compañeros en el servicio militar, su padre había participado patrióticamente en la guerra de

Angola, y no volvió a encontrarse con José Viana hasta veinte años después, durante un viaje a Inglaterra para promocionar vinos portugueses.

El padre y la madre de Júlia se conocían desde pequeños, sus respectivas buenas familias consideraban que estaban predestinados el uno para el otro, y ellos cumplieron la profecía la víspera de que él se marchase a Angola, aunque no se entiende muy bien por qué fue ese día, ya que ella no lo acompañó, perfectamente podría haberlo esperado soltera. Pero en esa época las cosas funcionaban así. Júlia fue, por tanto, el producto del traumático regreso, del difícil reencuentro, de la descolonización y del Proceso Revolucionario en Curso, el PREC, cuando marido y mujer descubrieron que pertenecían a campos ideológicos opuestos: ella estaba encantada con los revolucionarios Capitanes de Abril, mientras que él odiaba a esos traidores. El matrimonio duró los posibles cinco años, hasta que aprovecharon el ascenso de la derecha al poder en 1980 para divorciarse, en aquella época servía cualquier excusa, y reincidieron en bodas paralelas cuando la niña ya sabía hablar y andar perfectamente, aunque, en esas circunstancias, sólo lograba decir papá y mamá aferrada a los dos.

Las reorganizadas parejas no tuvieron más hijos. Por parte de la madre, ostensiblemente porque no quería causarle a su hija un nuevo trauma, ya bastaba con lo que había sufrido, pero una razón no menos importante era que andaba tan enamorada de su escandaloso nuevo marido, un hirsuto empleado de un banco nacionalizado, izquierdista y mujeriego, que lo que realmente no quería era interrumpir la fiesta, nunca había imaginado que pudiera ser tan bueno. Empezaron a sosegarse un poco cuando se privatizaron los bancos. El izquierdista se puso triste, se afeitó la barba para no crear problemas en el trabajo y persuadió a su mujer de que no debían aumentar la población de un país vendido a las fuerzas de la plusvalía. En todo caso, adoraba a Júlia, era la hija que habría querido tener. Por su parte, el padre no tuvo más hijos porque a la previamente fecunda y decorosamente católica madrastra de Júlia le habían practicado tantos abortos clandestinos cuando era soltera, para no pecar tomando la píldora, que comenzó a sufrirlos por espontánea rutina involuntaria, hasta que, cuando tenía poco más de treinta años, tuvieron que extirparle el sobado útero.

Júlia creció, por tanto, sin hermanastros ni hermanastras, lo cual le dificultó la vida al haberse convertido, de algún modo, en una compensatoria hija única dividida por cuatro, pero también se la mejoró, ya que, para su provecho personal, todos rivalizaban en mimos y apoyos económicos. El matrimonio del padre sigue prosperando, ahora también con una casa en el Algarve, pero la madre enviudó en la época en que Júlia abandonó la *Voz do Sado* y se fue a vivir con ella. Y solucionó la mucha falta que le hacía su viril empleado de banca muriendo ella también, a principios de año, de cáncer de útero, cosa que, por derecho propio, debería haberle tocado a la mujer de su ex marido, no hay justicia en este mundo. Pero, gracias a eso, Júlia, añadiendo al valor de la herencia constituida por la casita de la madre y del cariñoso empleado de banca una aportación equivalente del padre, pudo comprarse el apartamento de la Rua do Barão y todavía le sobró para explorar nuevos mundos. Y poco después le ocurriría lo de Londres.

El «desviaje», como comenzó a llamarlo, le sirvió al

menos para entretener a colegas y amigos con el relato cada vez más dramático de lo que le había ocurrido. Los principales beneficiarios, con énfasis y pormenores diferentes, fueron sus dos hombres preferidos en ese momento: el periodista protector con quien no le importaba acostarse porque a él le gustaba, y un joven diplomático con quien hacía mucho que también pretendía acostarse porque aún no lo había hecho, por lo menos en el sentido literal del término. Los dos hombres no se conocían y ella quería que siguiesen sin hacerlo, era mejor así, cada uno constituía su espacio de libertad en relación con el otro.

El periodista es el conocidísimo Carlos Ventura, el C.V. de los reportajes culturales y las crónicas de lectura obligatoria para quien no quiera pasar por necio en medio de las endémicas necedades nacionales. Lleva más de quince años produciéndolos semanalmente, comenzó muy joven, cuando aún era profesor adjunto en la Facultad de Letras, tiene poco más de cuarenta años. Abandonó las clases cuando, durante un trimestre, lanzó a propósito una serie de afirmaciones inaceptables y los alumnos tomaron apuntes de todo sin rechistar. Por ejemplo, que *Los Maias* es una novela indigenista concebida por Eça de Queirós cuando era cónsul en Cuba. Por tanto, la temática del incesto, codificada, como sin duda sabían, en el desarrollo narrativo de la obra, era una transposición metaliteraria del rechazo de las culturas autóctonas por parte de los conquistadores eurocentristas.

Después de los desastrosos exámenes, el decano de la facultad llamó a Carlos Ventura a su despacho y lo reprendió por su actitud. De acuerdo, los alumnos deberían haber leído el libro, pero aquello era inadmisible. Había puesto en entredicho a toda la profesión. Si los alumnos no podían creer en los profesores, ¿en quién creerían? Ah, ¿era eso lo que quería? ¿Que creyesen en ellos mismos? Entonces, ¿para qué servía la universidad? Carlos Ventura reconoció que tampoco lo sabía. Y, como no le importaba vivir frugalmente, dimitió y se buscó la vida por otros medios.

Sobre todo salieron beneficiadas sus crónicas, en las que gradualmente atenuó la agresividad de sus métodos didácticos. Ahora logra seducir mediante la ironía y, al mismo tiempo, esclarecer con seriedad, va al centro de los problemas más complejos satirizando lo que en ellos es, o él hace entender que es, efímero y circunstancial, sin que por ello parezca que los simplifica impropiamente. Y como además tiene una notable capacidad para conseguir que sus lectores se sientan más inteligentes de lo que son, al volverles accesibles argumentos sofisticados, es un oponente temido y un aliado deseado, con una incontaminada reputación de independencia con respecto a los partidos políticos, aunque claramente se sitúe más a la izquierda que a la derecha. Pero a veces ni una cosa ni la otra, evitando las connotaciones convencionales.

Cuando unos años atrás se discutió acerbamente la unificación de la lengua portuguesa y una inútil reforma ortográfica más, y portugueses y brasileños se tildaron mutuamente de neófitos imperialistas o de recalcitrantes colonialistas, Carlos Ventura reprodujo las equivalentes estridencias de los unos con la grafía de los otros. Así, tras llevar la situación al ridículo y demostrar que, a fin de cuentas, se entendían perfectamente y que la grotesca polémica no era ortográfica ni lingüística sino mezquinamente patriotera, y que, por tanto, si algo se podía concluir de todo ello era que ambas partes obtendrían grandes beneficios al enriquecer su léxico de insultos nacionales con las obscenidades de la otra parte, cambió de tono al final de la crónica, para hacer dos propuestas serias, la primera sobre cómo cambiar el sistema que impide que haya coediciones y una distribución de libros a precios accesibles en los distintos países de lengua portuguesa, y la segunda sobre la creación de diccionarios que registrasen las respectivas y perfectamente legítimas variantes, con el objetivo de expandir el mercado editorial en todos ellos.

Más recientemente, ridiculizó el medievalismo del espíritu de cruzada antiislamista en que se estaba transformando la, a pesar de todo, imprescindible lucha contra el terrorismo islámico, para demostrar, aun justificando en esencia la política estadounidense, la autodestructiva mala fe que le era subyacente. Pero tampoco libró de su ataque al paternalismo de las izquierdas occidentales, que, sintiéndose culpables, adoptan criterios éticos diferentes para criticar las democracias de las que forman parte y para justificar cualesquiera crímenes cometidos por los otros, los subdesarrollados, que, pobrecitos, no saben lo que hacen.

En otra crónica sobre un sonado caso, hizo una defensa irónica de los pederastas de la Casa Pía porque, gracias al perfil público de algunos de los acusados, finalmente tal vez se hubiese tomado conciencia de que la ley inquisitorial portuguesa permite meter en la cárcel a alguien sin culpa probada ni acusación específica durante meses e incluso años.

Y, el último ejemplo, cuando alguien creyó oportuno, a propósito de la revelación de las torturas estadounidenses en Irak, mencionar las que pudieran haberse perpetrado en Portugal, no por parte de la PIDE durante décadas, sino algunas cometidas por militares ligados al 25 de Abril, Carlos Ventura, después de afirmar que ninguna tortura es comparable a otra, porque, para quien la sufre, es única e intransferible, acabó lamentando con ironía que tan probos ciudadanos llegasen así a legitimar de manera retrospectiva, a través del noble ejemplo estadounidense, los excesos cometidos por algunos de los reprobables militares portugueses que, con tanta insensatez, habían contribuido al establecimiento del régimen democrático del que ahora se podían alimentar sus impunes críticos, varios de ellos con notables cargos públicos que desempeñaban legítimamente. «Y menos mal», concluyó sin ironía.

Salvo por sus columnas en los periódicos, Carlos Ventura parecía un hombre tímido, algo apocado, vulnerable en su excesiva delgadez. Le gustaba la compañía de las mujeres, a quienes a su vez les gustaba el modo atento con que a él le gustaba tratarlas. Se decía incluso que aquellas famosas clases, en las que lo dijo todo al revés, las impartió para vengarse de que le hubieran asignado un grupo mayoritariamente de chicos, con muy pocas chicas, y tan respetuosas que no reparaban en nada, insensibles a su seducción. Podría ser considerado un hombre feo, con una actitud desmañada, cicatrices de acné en la cara afilada, el pelo ralo, las gafas gruesas, si alguien quisiera calificarlo en esos términos. Pero, generalmente, ni mujeres ni hombres lo hacían, ellos tranquilos por no ver en él a un rival peligroso, mientras las mejores de entre ellas, las menos distraídas, respondían a la solicitud sexual de él, disimulada bajo su aparente vulnerabilidad.

Con Júlia no ocurrió exactamente eso, o, por lo menos, dada su relación profesional de casi maestro y casi discípula, ella le manifestó su disponibilidad sobre todo con una actitud de grato reconocimiento. El verano pasado, él se había ofrecido a ayudarla en la redacción de un artículo sobre minimalismo en el teatro, había logrado que se lo encargasen a ella con el pretexto de la visita a Lisboa de Peter Brook, que presentaba una versión francesa y reducida de *Hamlet*. También había conseguido que el director del periódico la enviase a entrevistar al gran mago de las ilusiones, como ella lo llamó, al exorcista del teatro escondido dentro del teatro. Riendo, Júlia les contó a sus compañeros que hacía tanto calor en el patio de butacas que si alguien se hubiera cruzado de piernas las habría mantenido cruzadas el resto de su vida, que había ido a hacer la entrevista saltando a la pata coja y con la pierna libre plegada en ángulo, Peter Brook sólo la había recibido por creer que aquello era de nacimiento.

Pero era una oportunidad profesional importante para Júlia, que ya había reescrito el artículo un montón de veces y aún no se sentía satisfecha. Estaba en la redacción del periódico, y Carlos Ventura se dio cuenta, cuando ella le mostró lo que había escrito, de que se había puesto nerviosa ante la presencia de los otros periodistas, al temer que no la creyesen capaz de elaborar su texto sin ayuda.

Júlia había emprendido una argumentación complicada, una especie de lectura alternativa de la pieza, con ideas interesantes pero que resultaba forzada, un poco al estilo crítico nacional de «mira qué lista soy». Su premisa básica era que algo estaba descompuesto en el Reino de Dinamarca ya antes de la muerte de Hamlet padre y de la boda de Claudio con Gertrudis, no sólo después. Hamlet hijo pensaba que la relación de su madre con el hermano de su padre no era más que lujuria, sexualidad desenfrenada. Tal vez, pero, si era así, se debía a que los amores de Gertrudis con Hamlet padre nunca habían sido satisfactorios. Además, todo indicaba que Claudio tenía cualidades para ser mejor rey de lo que Hamlet padre había sido. De ahí que enseguida fuese aceptado por todos los cortesanos como legítimo sucesor al trono en vez del joven Hamlet, el hijo inadecuado de un rey inadecuado.

El hecho de que Gertrudis hubiese aceptado rápidamente casarse con él mostraba que sus amores, sin duda, venían de lejos, y por buenas razones. Si en aquella situación alguien había sido traicionado, ése era Claudio. Fue traicionado por el fantasma vengativo del hermano y por el hijo del fantasma, cuyo inconfesado deseo no sólo debió de ser el trono, sino haber podido ser él quien hiciera el amor con su madre en lugar del padre impotente. De ahí aquella culpabilidad permanente, aquella incapacidad de actuar. Además, estaba la pérfida calumnia de que Claudio había asesinado a su hermano. Con veneno dentro del oído, como si eso fuese algo verosímil. ¿Cuál era la prueba? Se trataba, obviamente, de una transposición metafórica, típica, por cierto, de las piezas de Shakespeare. Quien había tenido el oído envenenado por la calumnia del padre contra el hermano había sido, al fin y al cabo, el propio Hamlet. Los fantasmas no existen, son proyecciones de la mente, Hamlet había envenenado su propia mente. Si alguien inocente fuese acusado injustamente de haber matado a su hermano para robarle el trono y la mujer, como lo había sido Claudio en la pieza que Hamlet había hecho representar a los actores, sin duda reaccionaría como Claudio reaccionó, sobre todo tratándose de la mujer a la que siempre había amado y que lo amaba, y del trono que siempre había merecido en un país

71

que sentía respeto por él. Y así sucesivamente. Demasiado largo, demasiado argumentativo.

Carlos Ventura declaró que era estupendo, muy interesante, y dejó que Júlia terminase el artículo sin intervenir él. Pero como era para el suplemento cultural del sábado y no lo editarían hasta el día siguiente, a la salida le sugirió discretamente que aún podría echarle otro vistazo. Júlia no sólo aceptó enseguida, si no que, además, propuso que fuesen a su apartamento, donde estarían más a gusto.

Carlos Ventura prácticamente se limitó a hacerle algunas preguntas, como si sólo buscase alguna información más:

—¿No me había dicho que en la puesta en escena de Peter Brook el mismo actor representaba al fantasma de Hamlet padre y a Claudio? ¿Eso no complica el comportamiento de Hamlet hijo y de Gertrudis con relación a Claudio? ¿O entre ellos mismos? Sin embargo, los papeles de Gertrudis y de Ofelia no habrían podido ser representados por la misma actriz, ¿verdad que no? Argumente basándose en eso, a partir de lo que Peter Brook podría estar intentando transmitir mediante la duplicación de actores. Está usted escribiendo sobre eso, ¿no? Lo que no encaje, déjelo para otra ocasión. Nunca ceda a la tentación de decirlo todo de una sola vez. Sólo podemos construir capillas imperfectas.* Para que los lectores puedan acabarlas.

Al cabo de una hora el texto estaba listo, en una versión considerablemente mejorada. El estilo, no obstante,

---

* Alusión a las Capelas Imperfeitas, llamadas así porque nunca llegó a completarse su construcción. Forman parte del Monasterio de Batalha, que Juan I de Portugal hizo construir después de la victoria sobre las tropas castellanas en la batalla de Aljubarrota, en 1385. *(N. del T.)*

era el de ella, no el de Carlos Ventura. Las ideas también, pero con una sutileza de percepciones a las que ella, de otro modo, no les habría sacado partido. Él se había limitado, como el buen profesor en que se había convertido o que, en definitiva, siempre había sido, a ayudarla a definir mejor su propio rumbo, independientemente de si estaba de acuerdo con éste o no. Fue una lección que Júlia supo que había aprendido para siempre. Cuando él se disponía a marcharse, ella le pidió que se quedase un poco más, lo llevó amablemente hasta la habitación, era su modo de agradecérselo.

—Estás loca de atar —fue lo único que él le dijo después, al despedirse, mientras ella también sonreía, contenta por el elogio.

A partir de entonces se acostaron varias veces, sin que tales encuentros se convirtiesen en una rutina o una obligación, lo que era bueno para ambos, aunque, como todas las elecciones libres, al mismo tiempo hubiese generado la expectativa de reincidir. Y también sin que se crease entre ellos una intimidad mayor que la de la primera vez, lo cual podía ser bueno o no. Hacían el amor en silencio, la verdadera conversación era la que hubiesen tenido antes y recomenzase después. La principal diferencia fue que empezaron a tratarse de tú, incluso en público.

Claramente, Carlos Ventura era mejor periodista que amante, más generoso como maestro que como compañero en un intercambio sexual entre iguales. Pero a Júlia no le importaba, estaba acostumbrada a no esperar mucho de los hombres con quienes de vez en cuando compartía su cama, que en general prefería a la cama de ellos, nunca les dejaba que se quedasen hasta la mañana siguiente, le gustaba verlos salir y quedarse sola. Tenía una relación ambivalente con su propio cuerpo, siempre lo había sentido mal amado. Era consciente de su atractivo, se cuidaba meticulosamente, se miraba el cuerpo en el espejo con agrado, pero el placer que alguna vez había sentido con los hombres a quienes les permitía que lo usasen fue siempre el de sentir tan sólo el placer que ellos sentían cuando estaban dentro de ella. El modo en que usasen su cuerpo o, incluso, el modo en que entrasen en él, casi le resultaba indiferente, no por un deseo propio que todo lo permitía, sino por un incontaminado distanciamiento que todo lo consentía. No llegaba a disgustarle que así fuese, hasta bromeaba con ello, como cuando una vez, riendo, le dijo a su amigo diplomático, que tal vez habría sido su amante ideal porque no lo era: «a ellos les gusta, y a mí no me cuesta nada».

No parecía, no obstante, proceder por carencia ni por asertividad, de modo que generalmente la apreciaban por ser libre y desinhibida en lugar de censurarla por depravación y promiscuidad, como habría ocurrido en otros tiempos. De hecho, su comportamiento en público era siempre discreto, de *jeune fille bien rangée* a la antigua, pero con una imagen actualizada de joven moderna e independiente que desdeña las molestas secuelas sentimentales. En otras palabras, se había instalado entre valores morales en transición, y tal vez ni ella misma sabía qué valores le convenían más, si bien sentía que, fueran cuales fuesen, no debía darles demasiado crédito. En consecuencia, un alma expectante en un cuerpo postergado.

Su amigo el joven diplomático, Duarte Fróis, tal vez sabía aún menos lo que quería de la vida y de los amores, y ello por la razón opuesta, pues creía que no era necesario saber más de lo que creía saber, así que ambos se entendían perfectamente. Eran amigos desde la infancia, tenían más o menos la misma edad. La única causa de que no hubiesen crecido siempre juntos en el mismo medio social convencional y acomodado donde habían nacido fue el desbarajuste bancario de la madre de Júlia, pero, aun así, fueron noviecitos de verano cuando ella pasaba las vacaciones estivales en casa de su padre, en años alternos. Vacaciones que, por cierto, pasaba sobre todo en la casa de los Fróis, que tenían un jardín más grande con un columpio para los niños. Las vacaciones comenzaban cuando Júlia corría hacia el columpio y se dejaba ir, impulsada por Duarte, que se quedaba maravillado viendo cómo sus piececitos estirados casi alcanzaban ya las hojas más altas del castaño.

A las respectivas familias les habría gustado que se hubiesen casado en el momento oportuno, como había ocurrido de forma tan natural con los padres de Júlia, cuyo divorcio no debía servir de advertencia para nadie, ya que todos coincidían en que toda la culpa la tenía el 25 de Abril. Los Fróis eran católicos tradicionalistas, así que desaprobaron que la niña se hubiese ido a vivir con la réproba de su madre y el subversivo amante nacionalizado de ésta, en aquella contagiosa sordidez lisboeta, pero la pobre inocente no merecía ser castigada, de modo que cuando pasaba las vacaciones con su padre y su madrastra, ésos sí, personas de su especie, no se oponían a que el compañero inseparable de Júlia fuese Duarte; por el contrario, consideraban un deber cristiano no excluirla, darle buenos ejemplos, era una especie de redención de los pecados de la madre, de la execrable concupiscencia de ésta, que sólo por un milagro no había afectado a su hija indefensa. Un verano, no obstante, cuando Júlia estaba a punto de cumplir nueve años, los precavidos Fróis empezaron a ponderar si el sindicalista no habría abusado de la inocencia de la niña, de un hombre de su calaña podía esperarse cualquier cosa.

Por consejo de su amigo, el padre de Júlia, incrédulo pero alarmado, aceptó a regañadientes llevar a la niña al médico de los Fróis, de toda confianza y garantizada fidelidad en asuntos de la familia, para que, discretamente, le hiciese el necesario examen íntimo, fingiendo que era un trámite normal a causa de los baños de mar, pues podía haberle entrado algo de arena. Como el médico no encontró nada sospechoso, Júlia continuó siendo bienvenida. Y los Fróis pudieron seguir jactándose de ser unos tradicionalistas instruidos, al fin y al cabo ya en la generación anterior incluso le habían pagado los estudios secundarios a la hija ingrata de un obrero fiel.

Las familias Fróis y Sousa Bernardes vivían cerca, en amplias viviendas blancas, una en Azeitão y la otra más hacia Setúbal. También tenían dos amplias casetas a rayas vecinas en la playa del Meco, púdicamente situadas antes de la zona de los nudistas, otra vergüenza del 25 de Abril. El hermano de Duarte, casi seis años mayor que éste, puesto que había sido gestado antes de que su padre participase en la guerra, mientras que Duarte lo había sido después, desaparecía de vez en cuando por las inmediaciones de la zona nudista con unos prismáticos que, según decía, eran para ver las gaviotas. Pero los prepúberes niños ya sospechaban lo que el adolescente iba a ver en realidad, y se ponían a imaginar cómo sería, comparando curiosidades, intercambiando dudas sobre semejanzas y diferencias, probando a encajarse piedrecitas uno en el ombligo del otro. De ahí a querer investigar el uno en el otro cómo era o no el resto, sólo había un paso, que dieron un día de lluvia en que finalmente las familias habían decidido que no hacía tiempo para ir a la playa, ni siquiera para subirse al columpio del jardín. El hermano de Duarte se disgustó y montó una escena, quería ir a la playa del Meco para ver las gaviotas bajo la lluvia, y tanto insistió que los adultos acabaron cediendo, pero no se llevó consigo ni al hermano pequeño ni a Júlia, que se quedaron a cargo de las criadas de ambas casas, con la recomendación de que los niños se abrigasen, pues eran propensos a pillar resfriados de verano, que son los peores.

Nunca habían estado tanto tiempo juntos sin que los mayores se entrometieran; sobre todo, a Júlia no le gustaba nada el modo que tenía el hermano de Duarte de meterse siempre por medio, queriendo mandar. Esperaron a que las telenovelas absorbiesen la atención de las criadas y se fueron al desván a jugar a los médicos, si alguien se acercase oirían el crujir de las escaleras.

Júlia declaró que Duarte ya tenía fiebre, había pillado uno de aquellos resfriados de verano, que son los peores. Al principio, él no entendió el juego y repuso que no, que se sentía muy bien, pero cuando ella le preguntó severamente: «Pero, a ver, ¿quién es el médico aquí?», se sometió a la necesaria revisión tras dejar que ella lo ayudase a desvestirse, camiseta, pantalones cortos —«¿y el resto?», preguntó ella como quien ordena—, todo su cuerpecito desnudo temblaba de excitación como si realmente tuviese fiebre. Júlia le dio unos golpecitos en el pecho con dos dedos, mientras ella misma decía «treinta y tres, treinta y tres», encontró un lápiz que sirvió de termómetro, «aprieta el brazo, no, ahí no se puede, estás temblando demasiado, tienes mucha fiebre, ahí se va a caer, tiene que ser más abajo». Le puso el improvisado termómetro en la ingle, ella misma apretó con las manos las piernas regordetas de Duarte, una contra la otra, para que el termómetro no se cayese, rozando con los dedos, como sin querer, el casi erecto pene infantil de su aún nervioso pero sumiso y complacido paciente. «Ya está», dijo ella. Duarte protestó, ahora quería que le curasen; se quejó, acostado de espaldas, de que cada vez tenía más fiebre. Sin embargo, Júlia tenía ideas mejores, a esa edad las chicas siempre saben mucho más que los chicos.

Ahora le tocaba a ella ser la enferma y a él el médico. De modo que preguntó si también tenía que quitarse toda la ropa, bragas y todo. Duarte murmuró muy cohibido que, si ella quería, a él no le importaba, pero se recompuso a tiempo para asumir sus nuevas funciones, y precisó enseguida que dependía de dónde le doliera, si era en la barriga tendría que quitarse la ropa. Ella dijo que sí, que era en la barriga donde le dolía, por culpa de la arena de la playa, y obedeció sin demora a las órdenes del doctor. Con diez años, casi once, Júlia tenía formas menos redondeadas que Duarte, era estirada y enjuta, las nalgas de él eran más rellenas, en el pecho de él era donde parecía haber un prenuncio de senos, el pubis de ambos aún lampiño y muy blanco, en contraste con los cuerpos bronceados, lo que volvía incongruente que fuese él quien tuviera la puntiaguda prominencia del pequeño pene surgiendo de la suave tersura redondeada, que en el fondo convexo del vientre de ella se escondía hacia dentro.

Tras observar las diferencias, Júlia olvidó por completo la alternancia en los papeles de médico y paciente, quería ver cómo sería Duarte si fuese una niña como ella. Le dijo que escondiese el pene entre los muslos y los apretase, después quiso comprobar si el pene oculto era visible por detrás, ella era de nuevo el médico, aunque estuviese tan desnuda como el enfermo; sin embargo, como tenía un gran sentido de lo plausible, declaró que estaban en la zona de los nudistas de la playa del Meco, y que había habido un accidente. «¡Vuélvase!», ordenó tratándolo de usted para dar mayor realismo a la escena, en esta nueva situación no se conocían, ella era una médica nudista llamada de urgencia: «Va a ser difícil, pero voy a salvarlo. ¡Vuélvase!». Él obedeció exagerando un gran gemido moribundo, se tumbó boca abajo fingiendo que era un ahogado, con los brazos extendidos sobre el suelo, pero sin separar las piernas, como ella le indicó que tenía que hacer para poder salvarlo. En aquella posición, Júlia tampoco lograba ver el pene escondido, le separó las nalgas con manitas clínicas para comprobar dónde estaría, cuando lo encontró quiso tirar de él hacia atrás, anunciándole al perplejo pero aquiescente ahogado que, como estaba al borde de la muerte, necesitaba urgentemente un supositorio para salvarse, estaba lleno de arena de la playa. Duarte no sabía si quería eso, se levantó de un salto cuando oyó que Júlia se reía, fue a vestirse muy deprisa, comenzó a llorar por el susto y la humillación:

—Eres mala, eres mala, te odio, ¡ya no te quiero!

Pero sí que la quería, claro, y empezó a quererla todavía más a partir de aquella tarde lluviosa del que sería para ambos su último verano aún impúberes, vivido con un estremecimiento de miedo y de expectativa que él volvía a sentir siempre que se acordaba de ella, lo cual ocurría muchas veces, incluso después de que sus vidas paralelas en colegios y universidades diferentes los hubiesen alejado para convertirse en adultos.

No es que Júlia y Duarte hubiesen dejado de verse, pues siguieron encontrándose en los cumpleaños familiares, algunos días de las vacaciones de Semana Santa y de Navidad, en las largas vacaciones de los veranos alternados, incluso cuando ya eran universitarios. Y aunque hubiesen ido encontrando, a lo largo de esos años, otras compañías y nuevas intimidades, nunca dejaron de observar, a través de recíprocas miradas furtivas, cómo se transformaban sus cuerpos infantiles. Ambos se habían convertido, en suma, en cómplices irreversibles y en testigos de los secretos del otro.

6

Los «si fuera»

La inevitable vuelta a la intimidad entre Júlia y Duarte no se produjo, sin embargo, hasta que él regresó de su primer puesto diplomático, en Viena, cuando ella ya había regresado de su frustrante experiencia periodística en la *Voz do Sado,* en Setúbal.

Duarte la acompañó asiduamente durante la súbita enfermedad y muerte de su madre, supo ocupar con delicadeza el vacío emocional que ella necesitaba llenar. Tal vez en parte por esas circunstancias, fue como si, al hacerse compañía, hubiesen recuperado sus interrumpidas, o, en suma, sólo postergadas, infancias, convirtiéndose de hecho en la perfecta pareja convencional que sus respectivas familias habían presagiado. Gustos compartidos, él más musical, ella más literaria, pero sobre todo una intimidad fácil y muy natural, que ninguno de los dos aún no había creído necesario completar en sus cuerpos, que sabían disponibles. O quizá sólo él no lo había creído necesario, puesto que ella, durante el embotamiento sexual debido al luto por su madre, se había sentido sobre todo confortada, si bien algo perpleja, por aquel modo inusitado de ser amada por un hombre.

Y tal vez todo hubiese continuado así hasta la previsible boda de frac y velo si, de intimidad en intimidad, la gradualmente recuperada y de nuevo voluntariosa Júlia no hubiese entendido o decidido que Duarte era o debería ser homosexual. Se lo preguntó. Él respondió sorprendido que no, qué idea, ¿por qué? Pero acabó admitiendo honestamente que nunca se podía saber muy bien qué era eso de ser homosexual o heterosexual; sí, teóricamente, estaba de acuerdo con ella. En todo caso, esos conceptos de *gay* y *straight* eran un disparate, ¿cómo traducirlos?, ¿alegre y honrado?, aceptaba que esas cosas nunca estaban tan claramente definidas, no había duda de que ella tenía razón. Pero añadió, con igual honestidad, que la amaba, que creía que sólo podía amarla a ella.

—Es natural —dijo Júlia como reconociendo una evidencia—, yo también creo que sólo puedo amarte a ti.

—Pero se quedó pensando un momento antes de añadir, más ambiguamente—: Somos muy parecidos, es natural, siempre nos han gustado las mismas cosas.

Fue el modo que encontró de decirle que, si él fuese homosexual, también a ella ese hecho le resultaría natural, incluso significaría que seguían teniendo gustos semejantes, que eso también podría formar parte de su intimidad.

Tras esa honesta pero no muy concluyente conversación con Duarte, ella quiso saber desde cuándo se había sentido atraído él por otros hombres, qué había probado, dónde, cómo, con quién. Duarte mencionó algunas vagas atracciones en el colegio, cuando era adolescente, nada especialmente significativo, y casi se mostró más avergonzado por que no hubiese ocurrido nada que por haberlas sentido. Pero a Júlia eso no le bastaba, quería saber detalles sobre manipulaciones mutuas, penetraciones, preferencias, no había por qué avergonzarse, eran cosas perfectamente naturales; si de verdad se amaban, ella necesitaba saberlo, era sólo por eso. Tal vez ella se había acordado de su secreta tarde, cuando niños, en la casa de Azeitão, tal vez él también, aunque tales recuerdos siempre sobrevivan más en las sensaciones que en los pensamientos.

En todo caso, aunque no fuese por asociación consciente, lo que Júlia quiso saber después fue si algunas de esas cosas habían ocurrido con aquel repulsivo compañero del colegio al que Duarte había invitado a pasar las vacaciones con él dos veranos después, aquel Pedrito con pelusilla sobre el labio culo de gallina al que ella tanto había odiado, llena de rabia y de celos a causa de la preferencia de Duarte por él, que la excluía. En los dos años transcurridos entre aquel famoso verano y el verano en que llegó Pedrito, sus cuerpecitos infantiles se habían vuelto adolescentes, con los previsibles y, sin embargo, sorprendentes vellos e incontroladas secreciones.

Júlia contó que, para vengarse del intolerable Pedrito y de las apenas soportadas menstruaciones, había decidido ir a perder la virginidad a la zona de los nudistas de la playa del Meco. La arena se le metía en todas las concavidades del cuerpo y, cuando andaba, la arañaba como si fuese lija donde las piernas se rozan, y, para colmo, no hubo un solo hombre caritativo que quisiera violarla. Todo por culpa de la traición de Duarte. Que ni siquiera se había dado cuenta de nada. «¡Así no vale!», protestó como si hubiera ocurrido en ese momento. Esperaba al menos que, después, él hubiese conseguido chicos más interesantes que el horroroso Pedrito. ¿No era ese que, como él, había entrado en la carrera diplomática y actualmente esperaba un nuevo puesto en el Ministerio? ¡Bonita pareja, no cabía duda! ¡Inseparables! «Oye, ¿por qué no os casáis?»

Ciertamente, Duarte entendió, si aún no lo había entendido, que Júlia seguía siendo tan excesiva como cuando era pequeña. El arrebato de ir a la playa del Meco a perder la virginidad, por culpa de él y del más improbable de sus compañeros, el mofletudo Pedro Talaveira, con quien nunca, ni ese verano ni después, había ocurrido nada de especial, seguía intacto en aquella niña adulta que lo desarmaba y hechizaba al mismo tiempo. Sonrió con un encogimiento de hombros, como disculpándose, y se esforzó por mejorar la mala imagen causada por Pedrito mencionando otras tentaciones pasajeras, una o dos chicas, pero Júlia no pareció atender a lo que él le decía. Se mostró más interesada cuando Duarte le contó que un ambiguo jovencito con el pelo largo se le había insinuado en el Hofgarten de Viena. Parecía una niña perversa vestida de paje, un Oktavian o un Cherubino salido de la Ópera situada justo enfrente; Duarte se había quedado imaginando qué habrían hecho si hubiese accedido.

—¡Pederasta! Pero ¿tú a él o él a ti? ¿Quién haría qué a quién?

Duarte sintió que finalmente había encontrado el tono justo, bastaba jugar al «si fuera...», como cuando eran pequeños y jugaban a adivinar en quién pensaba el otro, preguntándole «si fuera un animal, ¿cuál sería», y la miró a los ojos con la expresión irónica de quien pregunta «¿tú qué crees?»:

—Él a mí.

—Ah, entonces no importa, estás perdonado, el pederasta es él.

Júlia, a su vez, había apreciado debidamente la sugerencia implícita de que la niña perversa podría haber sido ella travestida, le gustó que Duarte estuviese logrando no ponerse tan a la defensiva, que fuese cada vez más capaz de reírse de sí mismo, de aceptar su ambigua sexualidad. Ella no tenía ese tipo de prejuicios, se esforzaba por no tener ninguno, le parecía perfectamente natural que él fuese gay y que también le gustase ella, lo anormal sería que él se esforzase en que ella le gustase por miedo a ser gay. Interpretaba, o quizá había querido interpretar, que las tentaciones homosexuales de Duarte, al fin y al cabo timoratas por no concretarse nunca, significaban sobre todo que tal vez hubiese en él una especie de angelismo, una presexualidad adolescente que se manifestaba en el plano de la imaginación más intensamente de lo que habría sido posible en los actos de la sexualidad adulta.

No le desagradaba que así fuese, en eso también eran, de algún modo, parecidos, pero temía que, en ese caso, tarde o temprano se dejase enamorar, como una virgen, por el primer perro viejo que lo sedujera. Duarte era un muchacho guapo y vulnerable, con grandes ojos de gacela, no faltaría quien abusase de su ingenuidad. Y Júlia no quería eso, tenía que protegerlo, quería ayudarlo a saber distinguir entre sexo y amor, algo que ella creía haber aprendido. Le gustaba que él la amase, sabía que no mentía cuando le dijo que la amaba, por eso quería que siguiese amándola sin intrusiones sentimentales ajenas. Creía, en definitiva, que los cuerpos se pueden compartir, pero no así el amor. Era lo que él también tenía que aprender, si realmente la amaba. Y ella tenía que ayudarlo a asumir su cuerpo, aun sin ella, sobre todo sin ella, para después poder amarla por propia elección. Le habría gustado poder ser ella quien realizase con él sus, al fin y al cabo, parecidas fantasías, aunque sabía que no era posible, al menos por ahora, de momento sólo podía jugar con esa idea.

Así, como si jugase al «si fuera...», Júlia le dijo a él lo que le habría hecho al propio Duarte si ella hubiese sido el jovencito de Viena, aclarando que eran cosas que en realidad ya había hecho o le habían hecho a ella, queriendo escandalizarlo terapéuticamente, riéndose al suponer que tal vez le habría gustado más a él que a ella, usando un lenguaje soez con la inocente perversidad de los niños adultos, y mientras hablaba advertía que él estaba tan excitado como confuso, y le imponía como regla inviolable que sólo hablasen, sin tocarse, el resto vendría después, cuando él lo mereciese, y ella misma sentía una sensual complacencia física que nunca había experimentado. Aun así, para corresponder a las algo ingenuas confesiones de él, no despejó la duda de si le estaba contando cosas que realmente habían ocurrido o que sólo las había imaginado, de si estaba sugiriendo posibilidades inexploradas o todo ello no era más que una fantasía de imposibilidades con las que jugaban a ser mayores en su juego del «si fuera».

Pero Júlia era también una muchacha con un gran sentido de lo práctico, consideraba que incluso las fantasías tienen que sustentarse en los hechos. Falsa o verdadera, la experiencia de Duarte en el parque de Viena le dio una idea, que sugirió como si fuese la cosa más natural del mundo: el Parque Eduardo VII. Había oído decir que allí se encontraba de todo, que hasta acudía un aguerrido ministro a quien llamaban Marlene porque iba allí a cazar jovencitos disfrazado con una peluca rubia, creyendo que se parecía a la Dietrich. «Mira, tal vez como tu paje en Viena, ya ves que es algo absolutamente normal.» Pero también había oído decir que en el parque había algunas zonas peligrosas que convenía evitar, preguntaría en el periódico cuáles, fingiendo que era para un reportaje, y después acompañaría a Duarte para que éste eligiese a un chico discreto y bien limpio —se rió, «aunque no lleve peluca»—, y vivirían una aventura en común.

—Es necesario —declaró muy seriamente—, tienes que aceptar tu normalidad. Tienes que saber cuál es tu normalidad. —Y concluyó, con una sonrisa alentadora—: ¿Cuál es el problema? A fin de cuentas, lo más parecido que hay a una mujer es un hombre. Mira, por lo menos más que los chivos o, incluso, que los monos.

En este escenario, Júlia sería, por tanto, la joven mujer moderna y desinhibida que creía que debía ser, ejerciendo altruistamente el poder que estaba segura de tener sobre Duarte. En contrapartida, a éste le correspondería ser el timorato muchacho convencional que siempre había sido, pero que ciertamente acabaría teniendo el valor de darle la razón y haciendo lo que ella creyese que debía hacer.

La reacción inmediata de Duarte Fróis, no obstante, fue otra. La idea era todo un disparate:

—¡Estás loca! No, peor, eres una loca. Una irresponsable. ¡Siempre lo has sido!

La idea era degradante, era grotesca, era inmoral. Qué diablos, alguien como él no hacía esas cosas, quién se creía que él era. Y, sobre todo, no le apetecía. Lo dijo con gran indignación, confirmando las peores sospechas de la disgustada Júlia.

Si realmente no le apetecía, Duarte ya debería saber que había sido un error reaccionar de ese modo, puesto que a su pertinaz amiga de la infancia le serviría como incentivo. Duarte entendió demasiado tarde, por tanto, que había caído en la trampa de la moralidad convencional, no por casualidad era un Fróis. Debería haber sabido jugar con la idea, no indignarse como un antepasado ante una afrenta, jugar al «si fuera», hacerla reír, reírse los dos. Que era, ciertamente, lo que ella pretendía.

—Estás bromeando, claro —fue, por tanto, lo único que él pudo decir, todavía con la esperanza de que así fuese, cuando ella, días después, volvió a la carga.

Pero Júlia no bromeaba, y Duarte se sentía, fue la expresión que encontró, moralmente traicionado por ella, como si le hubiese echado la zancadilla. Sobre todo quería saber si ésa era realmente su voluntad y por qué, si era una especie de prueba a la que necesitaba someterlo, en el caso de que en realidad no estuviese bromeando. Al mismo tiempo, no podía dejar de reconocer que ella tenía razón cuando le decía que estaría sometiéndose a la más torpe hipocresía moral si desease a los hombres y no lo probase, que entonces la verdadera inmoralidad sería no probar, quedarse con la duda de si la querría sin la intromisión de otros deseos aparte del que sentía por ella, como ella le había dicho que lo quería a él. Sí, claro, Duarte lo entendía todo perfectamente. Pero aunque alguna vez hubiese deseado a un hombre y hubiese tenido miedo a probar, como Júlia creía, y no era imposible que tuviese algo de razón, lo único que ahora sabía era que sólo la quería a ella, que no quería perderla, que no podía decepcionarla. Y, sin embargo, ¿por qué todo aquello? ¿A qué prueba lo quería someter, a qué juego, a qué fantasía? Una tontería de la que no sabía cómo salir.

—Si tienes miedo a hacer algo, entonces significa que tienes que hacerlo —continuó Júlia algo pomposamente, como si profiriese una sentencia bíblica. Y enseguida añadió, con una voz de súplica infantil–: Hazlo por mí. Es necesario. Soy yo quien lo necesita.

Y así fue: ella lo acompañó hasta la entrada del Parque Eduardo VII, tal como le había prometido. Y las expediciones de los viernes por la noche continuaron durante algunas semanas, hasta que dejó de ser necesario. Para el lapso comprendido entre que aquello fuese necesario y dejase de serlo, Duarte había proyectado un plan alternativo, un «si fuera». No tanto por miedo o por una moralidad convencional, sino, antes bien, por la razón más trivial, y por tanto mucho más grave, de que había mentido a Júlia fingiendo obedecerla y ahora no podía confesar que había mentido, equivaldría a perder su confianza, a dejar de merecer su intimidad. Le había mentido porque se sentía hechizado por ella, porque ahora no lograba desear otro cuerpo que no fuese el suyo, y mucho menos el de un chico cualquiera. Y porque en el fondo creía que, de los dos, la ingenua era ella, una niña, una terrible niña que vivía en un mundo de fantasías.

De modo que se dedicaba a pasear por el parque el mínimo tiempo posible, ignorando insinuaciones, iba después a hacer tiempo al bar del Hotel Ritz, y lo mejor de «sus chicos», como comenzó a llamar a los hipotéticos beneficiarios de sus deseos en beneficio de Júlia, era lo que venía después de, supuestamente, haberse liado con alguno, cuando iba a encontrarse con ella para contarle cómo había ido. Y entonces decía que había ido como suponía que ella habría querido que fuese, y hablaban con palabras obscenas de un «si fuera» que realmente hubiese ocurrido. Un embuste ridículo en una situación de farsa, pero también necesario. Y ya está, ironizó Duarte para sus adentros: así, al menos, Júlia finalmente podía sentirse vengada por haberla traicionado con Pedrito, quince años después de no haberlo hecho.

De este modo, Duarte se sintió aún más cerca de Júlia, con más confianza en sí mismo. Si el propósito pedagógico de ella era ése, lo había conseguido. La víspera de que ella se fuese a Londres decidió anunciarle, por tanto, que ya estaba harto de sus chicos, y ella estuvo de acuerdo en que ya no era necesario. Se ofreció para acompañarla a Londres, estaba intentando que lo destinasen allí, el secretario general era amigo de su padre, iría a saludar al nuevo embajador, en el Ministerio ni siquiera repararían en su ausencia. Pero a Júlia le pareció mejor que no fuese con ella. La verdad es que le apetecía ir sola, pero argumentó que Duarte correría un riesgo innecesario al ausentarse sin permiso, sobre todo si pretendía visitar al embajador, sería precipitado, en vez de facilitarle las cosas podría poner en peligro la necesaria disposición favorable hacia su persona, tenía que ser un profesional cumplidor, como ella en el periodismo, quería que llegase rápidamente a embajador o, por lo menos, que el segundo puesto fuese Londres, no Uzbekistán.

—Dime, ¿qué pasaría con tu carrera si supiesen que eres un gay que no ha salido del armario?

—¡Pero si no soy gay, ya tendrías que haberlo entendido! —se rió—. Sabes perfectamente que son favores que te hago.

—Está bien, olvídalo. Te lo agradezco. Eres gay conmigo. Pero ¿y si lo fueses? ¿Uzbekistán?

—Creo que no. Nada. A pesar de que hay por ahí unos tipos muy machos que, como todos los tipos muy machos, tienen pavor de los gays. Creen que si les dan un apretón de manos se convertirán al instante en uno de ellos. Miedo a que sea irresistible. Son la mejor propaganda. Pero hoy en día hay de todo. Antes sólo eran homosexuales los hijos de papá, como este menda, que es tu esclavo. Ahora hay hasta mujeres embajadoras. Y alguna ministra. La única regla es ser discreto. Por ejemplo, si eres un diplomático competente, no debe notarse. Da igual que seas gay, u «honrado», o mujer. Por eso tenías razón hace un rato. He de parecer un profesional discretamente cumplidor. ¡Pero me gustaría tanto que fuésemos juntos!

—Está bien, entonces Londres será mi despedida de soltera y después puedes empezar a ser discretamente gay conmigo. Vas a ver las guarrerías que te hago en el lecho conyugal. O que te hago sin que las veas. ¿Sabías que hay algunas parejas ortodoxas que sólo hacen el amor a través de un agujerito en la sábana? Debe de ser estupendo. ¡La espera merecerá la pena!

Y ya sabemos que la espera no fue larga, porque Júlia regresó en el mismo avión en que se había marchado, y, en paralelo, les contó la misma historia a sus dilectos y paralelos amigos Carlos Ventura y Duarte Fróis, a aquél una versión periodística y funcional, a éste una elaboración gótica de lo que le había ocurrido. Por cosas así, precisamente, no le apetecía nada tener que conciliar las relaciones que mantenía con ambos, le gustaba ser una persona diferente para cada uno de ellos, pero sabía que la logística iba a ser más complicada ahora que virtualmente se había comprometido a hacerle guarrerías a Duarte.

¿Casarse? Duarte le gustaba, claro, tal vez hasta lo amaba, como le había dicho, pero en realidad le proporcionaba más satisfacción hablar de esas cosas que ponerlas en práctica. Sin embargo, él necesitaba y merecía casarse, le pareció tan entrañable cuando fingió, todas aquellas semanas, que iba al Parque Eduardo VII en busca de chicos y después inventaba tan mal lo que le contaría a ella, no servía para eso. Al menos lo intentaba, quería complacerla. Con la boca oliendo a whisky del bar del Ritz y no al esperma de los chicos. El divertimiento de ella era seguirlo sin que se diese cuenta, una vez casi se topó con él en la puerta del hotel, se escondió a tiempo, lo habría estropeado todo.

Pero había mejorado, ya no era tan vergonzoso, y sí, realmente le gustaba, aunque, eso sí, haría falta que hiciese de mamá y de puta al mismo tiempo, no lo podía asustar ya de entrada, iba a ser un agobio. Mamá y puta. Se rió. De casta le viene al galgo. No, quienes podrían pensar eso eran los Fróis, y el padre de ella. Con todo, cuando era pequeña, no había sido fácil aceptar los entusiasmos de la madre con su hombre, los gemidos que ella se quedaba escuchando, procedentes de la habitación de ambos. Era la habitación de al lado, no había cómo evitarlo. Entonces imaginaba lo que habían hecho, lo que estaban haciendo, queriendo saber si los gemidos eran porque dolía o porque era algo bueno. Y después, por la mañana, los dos no paraban de disimular durante el desayuno, antes de que el padrastro, camino del banco, la dejase en el colegio.

Hasta ahora Júlia no había pensado en eso, pero tal vez fue ese recuerdo de la infancia lo que le hizo pensar en lo que escribió sobre Claudio, a propósito del *Hamlet* de Peter Brook. El placer de la madre con el sucesor del padre. Con su padre nunca podría haber sido así. No porque su padre fuese el Hamlet padre, un fantasma punitivo. Por el contrario, siguió viviendo y prosperando, se casó otra vez, se llevaba perfectamente bien con su segunda mujer. La madrastra de Júlia sería una tonta, pero no era antipática. Y su padre nunca habló mal de su primera mujer. Nunca acusó a su madre de nada. Cuando la mencionaba, se quedaba a continuación en silencio. Sobre todo si, por casualidad, se mencionaba al padrastro. No quería venganzas ni castigos, prefería no saber. Sí, pero la había mandado a aquel horrible médico de los Fróis para que le inspeccionase el sexo, para que se lo tocase diciendo que podía tener arena dentro.

Bien, pero aquello era el pasado. Y en cuanto a Carlos Ventura, ya se vería. Con ése, al menos, todo era siempre mucho más fácil que con Duarte, había menos expectativas, menos embrollos sentimentales, sólo hacía falta una especie de lubricación de vez en cuando, como el que se les pone a los automóviles para que circulen sin problemas.

Había creído que en Londres lograría pensar en todo eso a solas, por qué le gustaba Duarte y por qué le gustaba Carlos, siendo tan diferentes. Tal vez sólo viajaba para poder estar sola de vez en cuando, le apetecía de veras, y en Lisboa todo era siempre tan complicado. En fin, ya los había entretenido con la historia del desviaje, iba a decirle a Duarte que tenía intención de comenzar la novela que desde hacía mucho pretendía escribir pero nunca había tenido tiempo para hacerlo, que aprovecharía la semana de vacaciones que hubiese pasado en Londres. En definitiva, iba a postergar hasta la semana siguiente las lubricaciones de Carlos Ventura y las guarrerías a Duarte.

Pero la semana aún no había llegado a su fin cuando la visita de José Viana le complicó aún más las complicaciones que ya tenía. Y todavía no sabía hasta qué punto.

En la versión del percance londinense especialmente elaborada para Duarte Fróis, Júlia de Sousa le había contado que los policías, provistos de guantes quirúrgicos, ya le habían hecho desnudarse y cubrirse con una bata, junto a una mesa sobre la que se alineaban instrumentos tenebrosos, como en las consultas ginecológicas, cuando aquel magnífico señor corpulento y solemne entró en la sala y les impidió que prosiguiesen.

—¡Mi *Magriço!** —había añadido riendo, dado el considerable volumen de su paladín—. Pero después pareció aún más desconfiado que los polis, me miraba como si nunca hubiese visto a una mujer de cincuenta y seis años con electrodos saliéndole del sexo, lo cual es perfectamente normal.

Y había comentado que él sí que debía de estar cerca de los sesenta años, si había sido compañero de su padre en el ejército, pero que estaba estupendo, con aquel pelo canoso y sus ojos de inquisidor.

—De modo que te quedaste en el acto con la curiosidad a flor de piel. Y como no quisiste desanimar al monstruo por la diferencia de edad, no le confesaste que con la luz apagada parece que tengas veintiséis. Eres una torturadora de viejos, siempre lo había sospechado.

—Antes eso que torturar a jovenzuelos con bigotito, como a ti te gusta.

—¡Qué injusticia! A ver si se entera, señorita, de que odio los pelos, se me meten entre los dientes. Además, en

---

* *O Magriço* (literalmente, «el delgaducho») es el nombre que se le atribuyó al valiente guerrero portugués Álvaro Gonçalves Coutinho, uno de los Doce de Inglaterra, que fue inmortalizado por Luís de Camões en *Los lusíadas*. Un documento de principios del siglo XV atestigua la existencia de *O Magriço*. (*N. del T.*)

tu versión del vals vienés, fue el hermoso jovencito imberbe el que me torturó a mí, yo no fui más que la víctima inocente de sus entusiasmos juveniles.

—¡Ya probarás los míos! Mientras tanto, a ver si se entera, señor, de que con la luz apagada parezco tener dieciséis años, no veintiséis. Y que últimamente me depilo toda. ¡Ha desvariado usted y me las pagará, señor mío!

—Señora mía, paga...pagaréleselas... ¡Me confundes con tu palabrería!

En tales circunstancias, no ha de sorprender que, después de la visita de José Viana, Júlia prefiriese estar con Carlos Ventura antes que con Duarte Fróis.

—¿Él te llamó Marta y tú no le corregiste?

—No lo sé, no me acuerdo. Eso fue lo que dijo. Ni siquiera debí de darme cuenta, de tan alterada como estaba.

—Como tampoco te diste cuenta de que la fecha del pasaporte estaba equivocada; que en el carné de identidad aparecía esa misma fecha; que en el formulario de la policía donde tú misma escribiste tu dirección, además de no llamarte Marta tampoco te apellidas Bernardo, sino Bernardes, Sousa Bernardes. No te diste cuenta de nada. ¡Eres una gran periodista!

—Me di cuenta de su mirada. Había en ella una gran..., no lo sé, una especie de compasión. O de asombro. A lo mejor digo esto ahora porque sé la razón. Una especie de esperanza sin esperanza. Nunca nadie me ha mirado así.

—Eso lo dices ahora.

—En aquel momento me pareció que tenía ojos de inquisidor. Hasta lo dije. Se lo dije a una amiga.

En realidad, se lo había dicho a Duarte. Pero no mentía del todo, era como si Duarte fuese la mejor amiga que nunca había tenido.

—Tal vez me pareció eso por la situación humillante en que me encontraba. Él me miraba al mismo tiempo con pena y como queriendo asegurarse de que yo no era una traficante de drogas o de diamantes. ¡Yo qué sé!, quizá lo hacía para impresionar a la policía. Al estilo de los grandes abogados. Dramático. Como en las películas. Pero, dime, Carlos, ¿y ahora qué?

—¿Ahora? ¿Quieres ser Marta Bernardo?

—Me sentí un poco como si lo fuese, cuando él me lo contó todo. ¡Te lo juro! No, pero ahora me gustaría ayudarle. Ayudarle a encontrarla. Y que tú me ayudes. Tú conoces a gente del PCP.

—Han pasado más de treinta años.

—Conozco Setúbal y los alrededores. Conozco a la familia de los patronos de su padre. A un nieto. Diplomático. Fróis. No lo veo desde hace algún tiempo, pero eso no creo que sea un problema.

—Demasiado tiempo.

—¿Qué? —por un momento, Júlia pensó que se estaba refiriendo a Duarte—. Ah, Marta Bernardo.

—Y ese abogado, José Viana, ¿no te dijo que ya lo había intentado todo?

—Pero desde la distancia. Refugiado en Londres. Y los del PCP no ayudaron mucho.

—Y te dijo que también lo había intentado justo después del 25 de Abril. Has dicho que anduvo por ahí buscándola, llamando a todas las puertas. Cuando aún no habían pasado más que dos años, o el tiempo que fuese. Me da mala espina.

—Pero ¿qué harías tú si fuera una investigación para el periódico?

—Si fuera un trabajo periodístico, el objetivo no sería encontrarla. Eso es asunto de la policía, no es periodismo. Para un periodista sería más interesante investigar la razón por la que no ha sido encontrada. Ahí sí que podría haber una historia. Encontrar a la mujer ni siquiera daría para una noticia local metida en las páginas interiores, cuatro líneas, segunda columna de la izquierda, hacia el final: «Después de tres décadas, la señora Marta Bernardo (56 años) ha sido encontrada haciendo ganchillo en los alrededores de Setúbal. Usa gafas y lleva dentadura postiza». Este detalle para recalcar el lado humano. Ya lo ves, no funciona. —Se levantó—. Y si quieres ayudar a tu salvador londinense, no te metas, déjalo vivir con sus fantasmas. En fin, no hay nada más que hablar. ¿Vamos?

Estaban en el apartamento de Júlia. En el que había sido de Marta Bernardo y de José Viana. Donde José Viana había estado hasta el anochecer haciéndole las revelaciones que ella acababa de transmitirle a Carlos Ventura.

Júlia le había telefoneado después de que José Viana se hubiese marchado, para pedirle que se encontrase con ella después de cenar. Le había dicho que tenían que hablar. De ahí que Carlos Ventura se quedase con la expectativa de la siempre bienvenida bonificación.

—¿Vamos?

—Hoy no me apetece —dijo Júlia—. Perdona, me siento extraña.

Afortunadamente, él era flexible en cuestiones de cama. Le dijo que no se preocupase, no estaban obligados a hacerlo, quizá en otro momento. Pero que, siendo así, se iría a casa a ver si dormía, estaba agotado.

–¡Hasta ahora! –Así se despedía siempre, aunque no hubiese un previsible ahora.

Júlia, por el contrario, estaba inquieta, no iba a poder dormir. Llamó al móvil de Duarte, esperaba que no fuese demasiado tarde.

No, en absoluto, aún estaba en el Pap'Açorda, donde había cenado con unos compañeros porque ella no le hacía ningún caso desde que había decidido ser escritora en vez de la turista en Londres que no la habían dejado ser.

–¡El mejor arte es la vida! –proclamó, contento por el cambio de planes de su amiga–. ¿Vienes a buscarme o quieres que vaya yo?

Júlia había estado en casa todo el día, prefería salir, caminar. Como Duarte le dijo que el restaurante estaba cerrando, sugirió que se encontrasen en la librería Bertrand, uno de sus lugares habituales. Pero eran las dos de la mañana.

–Claro que está cerrada, ¿crees que soy estúpida? ¡Quería decir en la puerta, claro!

Era verdad que había empezado a sentirse extraña desde la visita de José Viana. No había complacido a Carlos Ventura como solía hacerlo y ahora se había irritado innecesariamente con Duarte. En fin, ya se le pasaría.

Duarte se había enfadado un poco por aquel tono agresivo, pero estaba esperándola obedientemente cuando Júlia llegó, aunque por un momento fingiera estar más interesado en el escaparate de la Bertrand.

–¿Te has fijado en lo horribles que son últimamente las portadas de los libros portugueses?

–Política editorial –dijo Júlia con la vaga sonrisa de quien quiere hacer las paces–. Para convencer al lector de que a partir de ahí todo va a ser mejor.

Bajaron la Rua Garrett, giraron hacia la Rua Nova do Almada, siguieron en dirección al río, caminando lentamente, mientras Júlia le contaba a Duarte lo que ya le había contado a Carlos Ventura que José Viana le había contado. La principal diferencia fue decirle que José Viana había estado con ella casi hasta las dos, el diálogo con Carlos Ventura no entró en el relato. Pero acabó con la misma pregunta que le había hecho al otro amigo:

—¿Y ahora qué?

La respuesta no fue muy diferente. O fue complementaria:

—Ahora el problema no es tuyo, es suyo. A menos que siga queriendo que seas Marta Bernardo o que tú quieras que él quiera eso. —Ensayó un tono ligero—: Por culpa de los ojos de inquisidor.

—No, de inquisidor no —ponderó Júlia—. En absoluto de inquisidor. Sólo de una gran tristeza.

Era una noche de luna nueva, finalmente había refrescado un poco, se habían dirigido hacia el río pero el acceso seguía siendo difícil en el Terreiro do Paço, debido a las eternas obras, así que desistieron, volvieron hasta la Rua da Conceição, subieron por las rampas hacia la Seo; la ciudad, casi sin movimiento de coches o de personas, parecía flotar suspendida del cielo oscuro; sus pasos lentos se deslizaban sobre el rocío de los pavimentos irregulares de piedras embutidas. Rodearon la catedral, giraron a la derecha hacia la Rua do Barão, se detuvieron frente a la puerta del edificio de Júlia.

—¿Quieres que suba? —En realidad, Duarte se lo pedía, no lo preguntaba.

Ella ignoró la petición respondiendo a la pregunta con el tono propio de las buenas maneras sociales:

—No. Déjalo. Gracias.

—Hoy estás muy extraña.

—Déjalo, ya se me pasará —y, antes de entrar en el edificio, añadió, como si aún se refiriese al comentario de Duarte—: ya deberías saber que nunca me ha importado no ser yo. ¿Cuál es la diferencia?

7
Sólo para mí

Júlia de Sousa le había anunciado a Duarte Fróis que estaba aprovechando el tiempo que habría dedicado a sus vacaciones en Londres para empezar la novela cuya escritura siempre postergaba; gracias a la conversación con Carlos Ventura, comprendió que, a pesar de sus reservas iniciales, la desaparición de Marta Bernardo podría dar lugar a un interesante proyecto de periodismo de investigación; y le había prometido a José Viana que usaría sus contactos profesionales y personales para ayudarle a encontrarla o, por lo menos, para averiguar lo que le había ocurrido.

Júlia se dio cuenta enseguida de que Carlos Ventura tenía razón, encontrar a Marta Bernardo después de todos esos años no sólo era improbable, sino que sería casi un anticlímax. Sin contar con que no le apetecía en absoluto encontrarse cara a cara con la imagen que tendría ella misma dentro de treinta años, si es que ambas eran tan parecidas como José Viana había asegurado insistentemente. Lo contrario era mucho más excitante: ser ella la imagen de la otra treinta años antes. De ese modo, además, José Viana podría vivir mejor con sus fantasmas. Eso no lo habría entendido Carlos Ventura, no podía entenderlo porque era más Horacio que Hamlet, no eran cuestiones que encajasen en su filosofía, como las fantasmagorías de la obra de teatro. Por el contrario, Duarte, con una pequeña ayuda, era más Hamlet que Horacio, más instinto que lógica, si ella quisiera Duarte lo entendería, pero ahora no le apetecía querer, de momento no era con él con quien le apetecía imaginarse siendo otra mujer. Y tal vez ni siquiera lo sería con José Viana, que amó a esa otra mujer que después perdió y que por un momento imaginó haberla reencontrado en ella. Júlia sabía que sólo estaba cultivando una fantasía consigo misma, y le gustaba que así fuese. Pero, en el plano práctico, ya le había pedido a Carlos Ventura que, con los contactos que tenía en el PCP, la ayudase en lo que seguiría diciéndole que era su proyecto periodístico. A Duarte le había pedido que averiguase si en la empresa que ahora administraba su padre había algún registro o memoria de la época de su abuelo sobre Marta Bernardo o su familia. Y a José Viana le escribiría diciéndole lo que pudiese. Fue él quien se lo pidió, cuando le dio un beso en la mejilla al despedirse y ella le puso los brazos a su alrededor para que la abrazase, pues quería sentir cómo se conmovía él al sentir el cuerpo de ella contra el suyo como si fuese el de Marta.

Ninguno de ellos —José Viana, Carlos Ventura, Duarte Fróis—, por tanto, era incompatible con lo que le apetecía escribir, todos la ayudaban, cada uno a su manera. Lo que aún no sabía era qué iba a escribir, sólo sabía que tenía que ser sobre Marta, sobre su desaparición, sobre la duda de si estaba viva o muerta. Se imaginó por un momento así, libre, desaparecida. Viendo a los otros, que no podían verla. Pero en eso, quizá, sólo estaba siendo ella misma, no Marta. Por ahora, era a Marta a quien tenía que imaginarse. Tenía que escribir sobre Marta. Sobre Marta Bernardo y José Viana, claro.

El motivo de que nunca hubiese escrito más que artículos y cartas, de que le gustase traducir obras de otros autores, era que nunca había logrado superar la barrera de la soledad: la pantalla resplandecía horas y horas frente a sus ojos sin que ninguna compañía saliese de allí dentro. No tenía experiencia en cómo escribir novelas, pero sí en cómo no escribirlas, sabía perfectamente que contar una historia y escribir una historia son procesos diferentes, incluso opuestos, que una historia contada se va construyendo según la reacción de quien la escucha. Y que, si se trata de un artículo periodístico o de una carta, es como si quien va a leerlo también formara parte de lo escrito. Pero, asimismo, sabía que, en una historia sin destinatario inmediato, las letras, las palabras, las frases tienen que construirse sobre sí mismas hasta convertirse en personas y acontecimientos, hasta convertir a quien está escribiéndolas en las personas que viven esos acontecimientos. Por ahora, sin embargo, lo que ella necesitaba era visualizar para quién estaba escribiendo; por tanto, podía escribirle cartas a José Viana, hacer periodismo para Carlos Ventura e incluso, si fuese necesario, volverlo todo más tangible contándole a Duarte Fróis, como si fuese verdad, lo que estuviese imaginando.

En todo caso, como la buena profesional que siempre intentaba ser, Júlia decidió prepararse para su proyecto con algunas averiguaciones preliminares.

El apartamento y el edificio donde Marta Bernardo había vivido lo conocía bien, claro, había habido cambios pero era su propio territorio, bastaba con mirar alrededor y visualizar cómo había sido en el pasado.

Salió y fue a comprobar algunos pormenores de las calles y aceras más próximas, las tiendas de ultramarinos, los comercios y estancos que aún sobreviviesen. Bajó por las Cruzes da Sé, entró en la pequeña iglesia de São João da Praça, donde nunca había estado.

Después serpenteó cuesta abajo en dirección a la Casa dos Bicos, en la época de Marta seguramente menos visible sin la planta que después le habían añadido. Cruzó el Campo das Cebolas y siguió hasta la Doca da Marinha, que se encontraba separada del Terreiro do Paço por una zona militar, algo en lo que no había reparado hasta entonces. Una parte del camino en sentido contrario lo recorrió buscando alternativas, para ver si era posible llegar a la estación fluvial del Terreiro do Paço evitando la zona militar.

El carguero holandés había salido de Setúbal, de la desembocadura del Sado; la cuestión, por tanto, era decidir cómo había llegado José Viana hasta allí: vía Montijo, Seixas, Barreiro o Cacilhas. Si había llegado por Cacilhas, también habría podido tomar el barco en el Cais do Sodré, contando con que en ese tiempo los trayectos fuesen como ahora. Lo cual le complicaba el esquema mental que pretendía construir. ¿Y el puente? No, por el puente no podía haber ido, habría sido demasiado peligroso ir en coche, con holandeses o sin ellos. Hubiese tenido que detenerse en el peaje. Debería haberle preguntado todo eso a José Viana. Aún podía hacerlo, cuando le escribiese, pero tal vez no fuese preciso. Ahora sólo necesitaba esos datos para situarse, y después, cuando se pusiese a escribir, prescindiría de ellos. Se decidió por la estación del Terreiro do Paço y tomó notas, como si fuese a hacer un reportaje.

En cuanto a la parte relacionada con Setúbal, tampoco presentaba ningún problema, había vivido allí, sabría cómo introducir algunos detalles significativos. Constituía otra curiosa coincidencia que Marta Bernardo fuese de aquella zona, que hubiese ido al colegio situado no muy lejos de donde ella misma había nacido, tal vez se cruzaron durante las vacaciones, para colmo ella en compañía de los Fróis, que eran los patronos del padre de Marta. También podría ser una ironía digna de explotar el hecho de que José Viana se hubiese embarcado cerca de donde Marta había vivido, mirando hacia allí, viendo su ausencia. O tal vez no, tal vez aquello era demasiado obvio, de un sentimentalismo forzado, sólo Camilo Castelo Branco conseguía salir airoso de esos artificios, como en *Amor de perdición,* con Teresa y, ¿cómo se llamaba?, Simão. Además, como personaje prefería a la otra, a Mariana, la que se fue con Simão y se tiró al mar. Se parecía más a Marta. Y quizá la antigua casa de Marta no se hallase tan cerca del muelle.

Más importante era volver a visitar los dos lugares habituales de encuentro de José Viana y Marta: la plaza del Príncipe Real y el Jardim das Amoreiras. Pero eso tendría que dejarlo para el día siguiente. Además, conocía los dos sitios perfectamente. Las Amoreiras porque ahí estaba el bar Procópio, adonde solía ir con Carlos Ventura y otros colegas del periódico. En el Príncipe Real se encontraba algunas veces con Duarte, no dejaba de ser curioso que recurriese a los dos lugares para encontrarse con sus amigos. Pero eso no significaba nada, al Príncipe Real también iba muchas veces sola, aquel árbol mágico era de las cosas que más le gustaban de Lisboa. Como a Marta Bernardo y a José Viana. Eso tal vez fuese más interesante. Aunque era el árbol favorito de media ciudad, así que tampoco significaba nada. Pero no era un cedro, como José Viana y mucha otra gente suponía. A ella le gustaba trabar conversación con los jardineros, uno de ellos le había explicado que era una especie rara de ciprés, habituado a crecer hacia los lados para dar sombra.

Ahora estaba cansada. Aunque ya atardecía, seguía haciendo un calor agobiante, ni siquiera corría la brisa cerca del río. No debería haberse puesto pantalones y camiseta, con una temperatura y una humedad semejantes era mejor una ropa más holgada. Quería ir a casa y darse una ducha casi fría, ponerse el vestido más ligero que tuviese, ni bragas ni sujetador, y después sentirse como Marta cuando ésta miraba hacia el río.

Marta no pudo saber que José Viana iba a salir de Portugal aquella madrugada, y mucho menos en barco, claro, lo más probable es que, más tarde, supusiera que lo había hecho por tierra, evitando los puestos fronterizos con trucos de contrabandista, era lo más común. Pero seguro que se habría quedado mirando hacia el río pensando en él, pensando en cuándo volvería a verlo. Esto, claro está, si tuvo tiempo de volver a casa, si no la detuvieron antes. Pudo haber visto el dibujo del árbol sobre la mesa del salón y, tras salir rápidamente para encontrarse con José Viana, haber sido detenida. Porque tal vez ya estuviesen buscándolo y creyesen que ella sabría dónde podrían encontrarlo. Tenía que decidir todas esas cosas. Si habían detenido a Marta y, en ese caso, cómo y cuándo.

Se demoró debajo de la ducha. Después se suavizó la piel con una loción poco aceitosa, de la marca Caron, que olía a polvos de talco de otros tiempos, su último hallazgo. Se peinó, eligió un vestido ligero, se decidió por una especie de túnica hindú, casi blanca. Y ahora iba a ver a Marta mirando hacia el río, el cuerpo de Marta asomándose un poco por la ventana, pasando de la ventana de la derecha a la de la izquierda para comparar desde cuál de ellas la vista llegaba más lejos.

Pero antes de ir hasta la ventana fue a mirarse al espejo grande de la habitación, ensayó ángulos y expresiones del rostro, distintas posiciones del cuerpo, como si estuviera asomada. Se peinó el flequillo hacia atrás, intentando visualizar cómo se llevaba el pelo a finales de los años sesenta, principios de los setenta. Bien, dependía. Las mujeres más atentas a las modas tal vez llevasen aquel corte en ángulo a la altura de la mandíbula, que parecía hecho a navaja. Pero Marta no. La ropa que José Viana elegía para ella le habría dado, ciertamente, un aspecto de chica elegante, de la clase social de él, pero no era una mujer que perdiese el tiempo comprobando por sí misma la última moda en revistas del tipo de *Vogue* y *Marie Claire*, tenía otras prioridades. Aparte de que los cortes de pelo siempre llegaron a Portugal por lo menos con diez años de retraso. Ah, en ese caso, un corte de pelo a lo paje, con flequillo. Se peinó de nuevo el flequillo hacia delante. «Así», dijo en voz alta.

Después se dirigió a la primera ventana del salón, miró el río, luego comprobó la perspectiva diferente que le ofrecía la ventana de la derecha, pero lo que quería era recordar si tendría, entre las cosas que guardó de su madre, algún vestido parecido a los que Marta hubiera llevado. En el Portugal de entonces las mujeres no llevaban pantalones tanto como ahora, y menos aún una militante del PCP, aunque quisiera mejorar el estilo pequeñoburgués. Y poco maquillaje. Igual que ella. En este momento, nada.

Se recostó en la silla Charles Eames, con los pies descalzos sobre la banqueta colocada enfrente, quería sentir lo que Marta sintió cuando la abandonó José Viana. Porque fue eso lo que ocurrió, José Viana la dejó sola, la abandonó. Sin decirle adónde iba. Sin que ella supiese al menos hacia qué parte del mundo debía mirar, aun cuando fuese para no verlo nunca más. Y, a pesar de todo, él tuvo fuerzas para irse, para subir al barco, para dejarla. La silla de Marta no sería en absoluto como aquélla, ni siquiera se le parecería. Reproducción comercial de una pieza de museo, aun así muy cara. Por aquel entonces no habría. Y no habría sido de ese estilo. ¿Un sofá? Echada en un sofá, con la cabeza en uno de los reposabrazos y los pies tocando el otro. Tal vez un diván que tuviesen en el salón para sentarse y para que algún camarada extraviado pudiera pernoctar allí si fuese necesario. Solidaridades. Buenos camaradas. Pero ella mejor que él. Ella se quedó ateniéndose a las consecuencias, él se fue.

¿Y cuándo habrían detenido a Marta? La policía militar indagó sobre la deserción del aspirante a miliciano José Viana y, dadas sus nocivas connotaciones políticas, derivó el caso a la PIDE. La PIDE acudió al apartamento para detenerlo o, mejor, para detenerla a ella, puesto que lo más probable es que él no estuviese aquí, y forzarla a confesar dónde podían encontrarlo. Pero si Marta hubiera sido detenida, existiría algún registro de esa detención. Después del 25 de Abril, José Viana habría podido averiguar qué le ocurrió. Tal vez. Hubo casos en que no fue así, casos de personas simplemente desaparecidas.

Pero aquella noche, después del último desencuentro, pensó Júlia, yo no hubiese vuelto a casa tan rápido. Lo habría hecho mucho más tarde, de madrugada, con la esperanza de que hubiese otro recado sobre la mesa, desesperada por presentir que no lo habría. Marta debió de regresar varias veces al Príncipe Real, fue a las Amoreiras pero volvió para esperar junto al cedro, Marta también creía que el ciprés era un cedro, leyó y releyó el poema, o cuarteto, el que dice algo así como «no pases sin detenerte, oh viandante», ¿es un cuarteto o tiene más versos?, ella misma lo había leído tantas veces que tenía la obligación de recordarlo, ¡gran periodista!, como diría Carlos Ventura. La próxima vez lo anotaría. Pero Marta, cada vez que fue al Príncipe Real durante esa tarde y esa noche, obedeció al poema y se detuvo. Y esperó. No volvió a casa hasta la madrugada.

La policía había estado allí. La puerta forzada, los cajones revueltos, papeles y ropa por el suelo. Quisieron que pareciese obra de aficionados, un simple robo. Pero no se habían llevado nada, todo estaba por allí. Salvo aquello, había un sujetador atado a la lámpara de la mesilla de noche y unas bragas arrugadas sobre la cama. Con una mancha viscosa. Uno de los policías se había masturbado sobre las bragas, era su tarjeta de visita. Tal vez lo había hecho uno de los que la violaron cuando estuvo presa, antes de conocer a José Viana. O uno que sabía lo que le habían hecho. ¿Y qué le habrían hecho aquella vez, qué torturas, con qué instrumentos, electrodos que la penetraban hasta el fondo, para que no pudiese tener hijos?

Júlia se acordó de lo que había pensado sobre la diferencia entre imaginar y escribir, entre contar historias y componer un libro mediante las palabras. Tenía que imponerse una disciplina. Una cosa era comprobar detalles, observar los lugares donde las cosas podrían haber ocurrido, como había hecho esa tarde, y otra muy distinta sumirse en el devaneo, como había hecho ahora. Pero también era legítimo querer visualizar el peinado de Marta, qué estilo de ropa llevaba, qué clase de perfume usaba o si después de ducharse olía sólo a jabón, si tenía como ella un pequeño lunar marrón en el extremo superior del seno izquierdo, allí donde comienza a redondearse. Todo eso era útil y necesario, era el tipo de cosas que tenía que saber aunque después no las emplease en el libro. Eso si lo que realmente quería escribir era un libro. En todo caso, tenía que mantener la incógnita sobre lo ocurrido y sobre cómo ocurrió, para poder despejarla cuando estuviese escribiendo, partir de la escritura de los hechos, dejar que la propia escritura combinase el periodismo que hacía para Carlos Ventura y los enredos que imaginaba para Duarte, tenía que combinar plausibilidad e invención.

Pero se acordó también de que, por ahora, su intención no podía ser ésa, le había dicho a Duarte que iba a escribir una novela, pero no era más que una excusa para no verlo durante unos días, hasta que ordenase sus ideas. Lo que debía escribir era una especie de informe para José Viana, como le había prometido. Una veracidad probable, por tanto, en la que éste y ella misma pudiesen creer. Después pensó que, si quería alcanzar ese objetivo, no resultaba del todo equivocado su propósito de sentirse como Marta Bernardo, de sentir lo que Marta sintió. Pero el resto, los hechos, tendría que averiguarlos por fuerza, no podía hacer simplemente como si ya los conociese todos.

Y si fuese una novela, ¿sería la historia de cuál de las dos mujeres? ¿De la que desapareció o de la que José Viana encontró en su lugar? Si fuese una novela rosa, de esas que se estaban escribiendo en Portugal con pretensiones literarias, incluso tenía una amiga que escribía ese tipo de cosas, también trabajaba para el periódico, de hecho no eran propiamente amigas, sino colegas, en fin, si fuese una novela de esa amiga, la joven no habría corregido a propósito al hombre que la había confundido cuando, llorando, la llamó por el nombre de la otra, ella conmovida por ver a aquel hombre aparentemente tan fuerte llorando de aquella manera. Hasta la madrugada, él le habría contado la historia de sus antiguos amores mientras ella escuchaba, dejando que él la llamase por el nombre de la mujer a la que había amado. A mitad del libro, ella se reuniría con él en Londres, diría aquí me tienes, estoy tal como era porque para mí el tiempo no ha pasado durante la eternidad de tu ausencia, sólo tú seguiste viviendo, yo no, por eso parezco más joven que tú, pero ya te he perdonado que hayas seguido viviendo sin mí, ahora te quiero sólo para mí, vengo para estar contigo y para que así, al menos, podamos morir juntos nuestras vidas separadas. Y el título ya estaba ahí, algo llamativo del tipo *Sólo para mí.*

Pero al final de la novela las cosas se complicaban, porque para el hombre, por mucho que ella lo amase, por mucho que se pareciese a la otra, ella era realmente la otra, la otra mujer, la otra Marta aunque no se llamase así, aunque no pudiese ser la misma y aunque aquélla hubiese muerto, o lo hubiese traicionado, u olvidado, o hubiese amado a otro hombre en su lugar. ¿Un final trágico? Podía ser una especie de novela policiaca con crimen, pasión y fantasmas, todo mezclado. Él debía matarla para poder recuperar la memoria del verdadero amor, borrando su imagen reencontrada. Ella debía matarlo para liberarse de la imposibilidad de ser la mujer a la que él amaba. O tal vez el final debía ser sólo melancólico, más acorde con nuestra época, una despedida triste, él se quedaba en Londres con sus fantasmas, ella regresaba a Lisboa con sus fantasías. Júlia sonrió: algunas escenas de cama y ya está, un *best-seller*. Lástima que no pudiese escribir una novela.

Encendió el ordenador, creó una carpeta: «Ficción». Le dio nombre al fichero: «Marta.doc». Se quedó unos minutos mirando la pantalla azulada, tratando de decidir cuál sería la voz narrativa más adecuada. En eso los novelistas también tienen suerte, pensó, pueden usar la primera persona para dar voz a sus personajes. Pero no en un informe sobre Marta Bernardo, los muertos no hablan. Ni siquiera una tercera persona caracterizada por la subjetividad, los muertos no piensan. Pero, tratándose de un informe para José Viana, podía al menos usar un narrador visible, ella misma, y el texto sería mezcla de carta y de reportaje creativo. Escribió: «INFORME MB/JV». Y después de un doble espacio comenzó la carta.

«Mi querido amigo (pues ya lo considero como tal):
»Aún no ha sido posible llegar a ninguna conclusión acerca de la aparente desaparición de Marta Bernardo (MB) el 1 o el 2 de junio de 1972. Lamentablemente, sin embargo, las probabilidades que se desprenden de los contactos que he podido establecer son poco auspiciosas. Sólo deseo que la incertidumbre que subsiste pueda aún ser motivo de alguna esperanza.»

Júlia interrumpió la carta. Ya había fijado el tono que adoptaría. El resto tendría que dejarlo para el día siguiente. Tal vez Carlos Ventura hubiese podido obtener algunas informaciones concretas, tal vez también Duarte, ella misma tenía que organizar mejor los hechos que ya conocía. Pero ahora tenía ganas de no sabía qué. Le habría gustado estar sola, pero aún no era medianoche, no tenía ganas de acostarse todavía. Le gustaba sentir el cuerpo desnudo bajo la bata, le gustaba el olor a polvos de talco de cuando era niña, tiró del cuello de la bata hacia delante, aspiró profundamente el aroma a limpio que emanó del cuerpo.

Aún podría encontrarse con Carlos Ventura, seguramente estaba en el bar Procópio, tal vez ya hubiese averiguado algo sobre el pasado de José Viana y Marta Bernardo en el PCP, le había prometido que esa tarde hablaría con un amigo que tenía en el PCP, de la edad de ellos, uno de los llamados «renovadores», o sea, ex PCP, que ya no se encontraba sujeto a la disciplina de partido, sin duda le diría lo que supiese. No, mejor no, Carlos Ventura enseguida querría ir a la casa de ella, hacía demasiado calor para el aplazado cuerpo a cuerpo que le debía, él era incapaz de ver a una pobre muchacha con la ropita lavada y no querer quitársela al instante para hurgar en su interior. Con los cuerpos pegajosos de sudor. Para eso, mejor hacer *jogging*. Él era tan apresurado que ni siquiera había reparado en que ella no tenía vello en el pubis. También es verdad que sin gafas apenas veía. Se las quitaba cuidadosamente, las ponía junto con el reloj sobre la mesilla de noche, como si se preparase para batir el récord mundial de los cien metros lisos, y, después, por mucho que mirase no veía nada, así que se concentraba y salía disparado hacia la meta en la postura del misionero.

La decisión de depilarse por completo fue consecuencia de un encuentro extraño, una noche en que se estaba sintiendo un poco como ahora. Por aquel entonces aún no había decidido ocuparse de Duarte, conseguir que

113

aceptase su homosexualidad, hizo lo mismo que después le mandó hacer a él en el Parque Eduardo VII, salió a la caza de un hombre que la llevase consigo, un completo desconocido. Pero cumplió hasta el final. Acabó en un cuarto sórdido de una pensión maloliente, cerca de Martim Moniz, con lavabo y bidé con jarros de agua en un rincón, y una colcha, con los restos mortales de un gallo de Barcelos bordado en el centro, echada sobre una cama de metal que chirriaba a la menor provocación.

Era un chico con el pelo engominado y un aire medio gitano, que al final le dio un billete y se ofreció para echarla a la vida, el billete era un adelanto, en el futuro dividirían los pagos de los clientes, tenía contactos excelentes en el mercado de lujo, que para ella sería claramente el más rentable. Simpático. Juegos de palabras que hacían dudar de si se trataba de un humor casual o deliberado. Se puso un preservativo diestramente desenrollado, «con permiso», porque hoy en día el sida no lo pillan sólo los «hombresexuales» y «taxidependientes», incluso los «coños de ángel» como el suyo no estaban a salvo. Le dio consejos sobre los preservativos más adecuados según los gustos y los propósitos, si era para el «sexo anual» tenía que tener especial cuidado, señorita, con la mano de obra, a veces se sangraba y entonces sí que el sida no perdonaba. A Júlia le pareció el no va más que dijese «sexo anual» y la llamase «señorita» de un aliento, y comentó «más valdría», sin especificar si contestaba a una cosa o a la otra. Y al final de todo se sintió al mismo tiempo triunfante y decepcionada, había imaginado los peligros más terribles pero acabó siendo lo mismo de siempre, como cuando de pequeña fue a la zona de los nudistas en la playa del Meco y volvió llena de arena entre las piernas y sin que nadie hubiese querido violarla. Nada que no pudiese solucionarse con un buen baño.

Fue él quien le sugirió que se depilase todo el vello del pubis, le dio la dirección de una brasileña de toda confianza. Pero le recomendó que especificase que no quería aquel estúpido bigotito a lo Hitler que algunas tenían la manía de dejarse. O todo o nada. Dependía del mercado. Había quien se inclinaba por la abundancia, pero, como ella tiraba a rubia, no tenía gran abundancia en ese sector. De modo que era mejor nada. Incluso era más rentable para el mercado de lujo. Parecería una niña pequeñita, hasta pervertiría a los pederastas. Júlia no visitó a la brasileña, pero siguió el amistoso consejo y visitó a otra que le recomendó la peluquera del instituto de belleza Ayer. Le dolió una barbaridad, pero después se sintió más limpia, más ligera.

Se decidió. Telefonearía a Duarte, tal vez le diría que pasara por su casa. ¿Y si esa noche cumpliese la promesa que le había hecho? A oscuras. Para que él no viese que estaba con una mujer. El resto lo improvisaría. Sabía de sobra lo que a los hombres les gustaba hacerle, bastaba combinarlo con lo que les gustaba que ella les hiciese.

Cogió el teléfono, tenía la frase lista, el tono medio burlón: «Duarte, ¿quieres venir a someterte a mis caprichos?». Había marcado hasta la quinta cifra de su número de móvil cuando colgó. No, tampoco le apetecía estar con Duarte.

Prefería acostarse aunque no tuviese sueño, quedarse muy quieta bajo la sábana, su cuerpo desnudo exhalando el aroma a polvos de talco antiguos. Es asombroso cómo uno se habitúa al olor, ya casi no lo notaba. De modo que antes de ir a la habitación pasó por el cuarto de baño para el pipí-dientes, como le ordenaba siempre su madre cuando era pequeña, se aplicó un poco más de loción en los senos y en el pubis, y se fue a acostar con una plácida sensación de virginidad intacta.

Mi querido amigo (pues ya lo considero como tal):

Cumplo mi promesa con un informe provisional sobre la aparente desaparición de Marta Bernardo (MB), probablemente la noche del 1 o la madrugada del 2 de junio de 1972. Como seguramente comprenderá, aún no me ha sido posible llegar a ninguna conclusión definitiva. Varias personas están ayudándome y yo misma ya he hecho algunas averiguaciones. Lamentablemente, las posibilidades que han surgido hasta ahora son poco auspiciosas. Sólo deseo que la incertidumbre que subsiste pueda aún ser motivo de alguna esperanza.

Creo no haber olvidado lo esencial de los hechos que me contó, cuando tuve el gusto agridulce de conversar con usted en esta casa que fue suya, cuando vi en su mirada que usted seguía viendo en mí el parecido con la mujer a la que amó y que perdió. Dado que no puedo ser ella, quiero al menos ayudarlo a encontrarla si aún es posible o, si no lo es, contribuir a que sepa definitivamente lo que le ocurrió. No soy muy dada a fantasías, porque en mi profesión de periodista sólo cuentan los hechos, pero, si lo fuese, tal vez me sentiría un poco como si también estuviera buscando a alguien que yo misma fui en el pasado.

Tal vez entienda mejor que yo lo que trato de decirle.

El caso es que, cuando nos despedimos, sentí que, si me parezco tanto a Marta, se debe a que ella ya se parecía a mí tal como yo soy ahora. Lo que no es exactamente lo mismo. No me sé explicar mejor, pero es como si, en mi presente, yo fuese el futuro de Marta. Como si usted ya me hubiese conocido a través de ella. ¿Sintió usted lo mismo? Esto, no se preocupe, sin que haya ninguna ambigüedad en mi relación con usted, ambos sabemos que no soy su Marta. Y, sin embargo, casi me dieron ganas de pedirle que me llamase Marta, como me dijo que hizo en el aeropuerto de Londres y yo no le corregí porque no me di cuenta. Pero le reitero que no tiene por qué preocuparse, me precio de ser una profesional rigurosa, y ahora vayamos a los hechos posibles. Algunos de ellos son los que recuerdo de lo que usted me contó, y con respecto a eso estoy segura de no estar tergiversando nada. Los otros, pocos todavía, son los que ya he conseguido averiguar y sobre los que usted puede ayudarme a decidir si debo llevar adelante o no.

MB tenía unos veintiséis años cuando desapareció, muy probablemente la madrugada del 2 de junio de 1972. Vivía en mi actual casa, en la Rua do Barão, cerca de la Seo Patriarcal, en Lisboa. Nació en Barreiro, donde cursó estudios secundarios (comprobé que en el Colegio de Nossa Senhora do Rosário). Concluido el bachillerato superior, como se llamaba antes, se trasladó a Setúbal para trabajar como secretaria en una empresa comercial ligada a la extracción de sal, actualmente cerrada. Vivió en el barrio de las Fontainhas, a poca distancia de las oficinas, actualmente una pensión. Los contactos con sus padres se hicieron cada vez menos frecuentes y llegaron a ser prácticamente nulos después de que viniese a Lisboa. (¿En

1969? Confírmelo, por favor.) Tal vez para protegerlos, o tal vez para su propia seguridad como militante del Partido Comunista. El padre, que había sido obrero pero tenía algunos estudios, había alcanzado una posición de relativo prestigio entre sus patronos, la familia Fróis (a la que, casualmente, también conozco). La madre de MB era una católica practicante dominada por los curas. Ambos eran, por tanto, afectos al régimen y, quizá, poseían conexiones con la policía, a semejanza de lo que ocurría con otros individuos que gozaban de una situación privilegiada equivalente en las fábricas de los Fróis.

Cuando era más joven, a MB la habían convencido para que entrase en la Juventud Obrera Católica, donde un número considerable de informadores de la policía política había redoblado su atención ante la inquietud que la guerra colonial provocaba en la clase obrera. El PCP contactó con ella ya en Setúbal, pero no se convirtió en militante hasta que vino a Lisboa, al año siguiente. Es posible que, para ponerla a prueba, dados sus dudosos antecedentes familiares, el PCP le hubiese asignado tareas para las que no estaba preparada del todo. Pero MB siempre creyó que había sido denunciada a la policía por algún miembro de su familia, tal vez su propia madre. (No me sorprendería, sin embargo, que lo hubiese hecho el médico de la empresa, un hombre sórdido al que también he conocido, muy de la confianza de los patronos, que, además, era médico de la policía y hacía «revisiones» improcedentes a las chicas.)

La PIDE detuvo a MB el 17 de noviembre de 1970. La torturaron y tres meses después fue puesta en libertad, pero es de suponer que la mantuvieran bajo vigilancia. Las brutalidades de que fue objeto por parte de la policía acabaron afectando a su fertilidad: nunca podría tener hijos. (Usted no especificó qué instrumentos usó la policía.) Como, a pesar de las torturas, MB logró no comprometer a sus camaradas, su posición en el Partido se vio fortalecida.

En 1971, MB conoció a José Viana (JV), a punto de graduarse en Derecho y también militante del PCP, aunque en otro sector. Vivieron juntos algún tiempo en la Rua do Barão, a pesar de las reservas que, por motivos de seguridad, tenía el Partido. Terminada la carrera, JV fue a prestar el servicio militar y comenzó de inmediato a preparar su salida del país por objeciones ideológicas a la guerra colonial. Durante los meses de instrucción militar (¿dónde?; no sé nada de cuestiones militares), JV y MB mantuvieron un contacto regular los días de permiso, generalmente los fines de semana, pero tomaban las precauciones necesarias para no poner en peligro los planes de deserción de él ni la seguridad de ambos.

La rutina era encontrarse los viernes en la plaza del Príncipe Real, junto al cedro, cuando empezaba a anochecer; si ese encuentro fallaba, debían encontrarse el sábado por la mañana en el Jardim das Amoreiras; si éste también fallaba, el domingo por la mañana de nuevo en el Príncipe Real. Se habían encontrado sin problemas el último fin de semana de mayo de 1972, pero, pocos días después de haber regresado al cuartel, JV recibió dos noticias que requerían decisiones inmediatas: su batallón iría a Guinea al cabo de pocas semanas y había surgido la posibilidad de salir del país a bordo de un carguero holandés, que zarparía de Setúbal la madrugada del 2 de junio.

JV abandonó el cuartel el 1 de junio por la mañana. Por tanto, sería acusado de deserción y lo buscaría la policía militar, así como, quizá, la policía política, aunque con suerte no repararían en su ausencia hasta el final del día y no empezarían a buscarlo hasta el día siguiente. A pesar de que, en esas circunstancias, cualquier contacto con MB era sumamente peligroso, se dirigió a la Rua do Barão. MB no estaba en casa. JV dejó sobre la mesa del salón la señal acordada en caso de emergencia: una hoja de papel con el dibujo de un árbol (¿el árbol del Príncipe Real?), que desencadenaría el proceso de los encuentros en el orden previsto. JV fue a esperarla al Príncipe Real. Como MB no apareció, fue al Jardim das Amoreiras. Regresó al Príncipe Real, pero no podía esperar más, tuvo que irse a Setúbal sin poder decirle lo que había ocurrido ni adónde se marchaba. Tal vez MB no pudo acudir esa noche, así que fue al día siguiente y al otro, como habían convenido. Pero eso no se sabe y, por lo que comentaré más adelante, es poco probable.

JV le escribió a MB desde Rotterdam y después desde Londres. La telefoneó, pero el teléfono comunicaba constantemente y en el número de información inglés le dijeron que estaba averiado. Pidió a unos amigos e incluso a su padre que la buscasen, pero nadie la encontró. Tampoco logró obtener noticias de su paradero a través del PCP, con el que mantenía una relación cada vez más difícil. Había salido del país sin el consentimiento del Partido, hecho agravado por haberse producido mediante contactos personales con un grupo de trotskistas holandeses, lo cual no sólo lo hacía merecedor de un castigo por indisciplina, sino también, al parecer (ya han intentado explicarme por qué pero sigo sin entenderlo, siendo como eran todos comunistas), ideológicamente tan condenable como si hubiese cometido un acto de traición. La

121

única noticia que recibió la obtuvo a través de la suposición equivocada de una vecina, quien al parecer le dijo a su padre que algún otro vecino le había dicho que MB se había marchado en compañía del propio JV. Después de la revolución del 25 de abril de 1974, JV pudo regresar a Portugal. Comprobó personalmente que MB ya no vivía en la Rua do Barão y que el apartamento tenía nuevos inquilinos casi desde la fecha de su fuga del país, en 1972. Los ex camaradas del PCP no fueron pródigos en informaciones que permitiesen determinar el paradero de MB. Tal vez por resistirse a ayudar a JV, o tal vez por auténtica ignorancia. Tan sólo le dijeron que en el Partido presumían que MB había acompañado a JV en la fuga o que había ido a reunirse con él en el extranjero.

En una visita posterior, a JV le informaron de que no había ningún dato reciente sobre MB en los archivos de la PIDE a los que tuvo acceso a través de un compañero del servicio militar que había regresado de Guinea. Allí sólo constaba que la habían detenido el 17 de noviembre de 1970 y liberado el 21 de febrero de 1971 por falta de pruebas.

Todo lo anterior es, en resumidas cuentas, el conjunto de informaciones que usted me transmitió y la base a partir de la cual he tratado de saber algo más. Le pido que me corrija si me he equivocado en algún hecho o suposición.

Basándome en esos hechos y suposiciones, mi propósito ha sido recoger los testimonios aún susceptibles de ser recabados, más de treinta años después de que esos acontecimientos ocurriesen. Consideré que tenía a mi favor tres circunstancias potencialmente útiles: vivir en la misma casa donde vivió MB y, por tanto, tener fácil acceso a personas de ese ámbito; disponer, por razones personales y profesionales, de contactos en Setúbal y sus alrededores, donde MB también vivió y donde aún podría haber alguien que la conociese; y no sólo ser físicamente parecida a MB, sino tener más o menos la edad que ella tenía cuando desapareció, coincidencias que podrían contribuir a reavivar recuerdos esfumados por el tiempo. Aunque, como ya he dicho, a veces me sienta como si fuese en busca de mí misma, he intentado evitar que mi subjetividad se superponga a la objetividad indispensable para nuestro propósito. Ésa es también la razón, estimado José, de que haya decidido adoptar en este correo electrónico el formato de un informe, que, en la medida de lo posible, y a pesar de ocasionales interrupciones como ésta, voy a intentar mantener para superar la emoción que sentí ante los hechos que ahora voy a narrar. No todos resultan esperanzadores.

Las investigaciones sobre la existencia de familiares de MB en el distrito de Setúbal han resultado hasta ahora decepcionantes. Aparte de lo que usted me dijo, o de lo que a partir de eso he podido suponer, sólo he averiguado que los padres de ella ya han muerto. Mi amigo Duarte Fróis (nieto del patrono de los padres de MB) me ha prometido que recabaría la máxima información posible dentro de la empresa.

El contacto que logré establecer con una antigua vecina de nuestro edificio de la Rua do Barão se ha revelado, por ahora, mucho más importante. La mujer, actualmente con casi ochenta años, vivió aquí hasta finales de 1972. Ahora lo hace en Setúbal, de donde es natural. Logré dar con ella gracias a la información que me proporcionaron mi padre y mis antiguos colegas de la *Voz do*

Sado. Y supe de su existencia a través del antiguo dueño de la tienda de ultramarinos adonde suelo ir a comprar, en la esquina con la Rua Augusto Rosa. Creo que, en el barrio, él es el único tendero que sobrevive de aquella época. Ahora sólo va a esa tienda ocasionalmente, para matar la nostalgia, y cada vez que lo hace casi mata de disgusto al actual dueño, hijo de un antiguo socio, porque no para de decirles a los empleados que ganan poco y alienta a los niños pobres a que se lleven gratis los productos expuestos, precisamente él, que antaño era muy rácano. ¡Y dicen que no hay progreso social! Hablamos un buen rato. Él ya había reparado en mi parecido con MB, hasta el punto de haber supuesto que éramos madre e hija. Pero no había querido preguntar, y ello «a causa de aquellas cosas que ocurrieron». No pude sonsacarle mucho más, es extraño cómo las personas interiorizan la represión política, dijo que sólo sabía lo que le había contado la susodicha ex vecina, que era quien lo sabía todo. Añadió que, si aún estaba viva, tal vez se la podría encontrar en Setúbal, probablemente viviría en el barrio del Troino, ya que pertenecía a una familia de pescadores.

Así era, en efecto, aunque ya queden pocos pescadores. El contacto con la señora (llamada Maria do Resgate; en ese momento pensé que el «rescate» de su nombre era un buen augurio) tuvo un interés adicional por el hecho de que había conocido a la familia de MB. Me indicó el edificio donde MB había trabajado (actualmente la dudosa Pensión Ideal) y me confirmó que MB había vivido de pequeña en las Fontainhas, en una casa ya demolida, cuyo espacio, así como el de otras casas antiguas, ha sido ocupado por un edificio de nueva construcción. También se acordaba de JV, «el señor José que se llevó a la señorita

Marta al extranjero». Cuando le expliqué que no, que JV había salido del país sin MB y que no sabía nada de su paradero, se quedó inmóvil y, al cabo de un instante, dijo: «Ay, pobrecita». Le pregunté por qué pobrecita, e intenté guiar su memoria hacia 1972, la continuación de la guerra en África, el anticlímax de la esperanza marcelista,* en fin, lo que se me ocurrió de lo poco que sé de esa época.

No habría sido necesario, ya que, casi ofendida, declaró que se acordaba perfectamente del año y el día de la semana en que nos dejó la señorita Marta. Después me miró con mucha atención, como quien quiere asegurarse de algo, y dijo: «Pero usted, señorita, no es ella, ¿verdad?». Supongo que por un momento le turbó nuestro parecido, temiendo las confusiones de la memoria causadas por la edad. Intentó disimular: «Mis ojos ya no son lo que eran». Es una vieja orgullosa.

Me contó que se acordaba perfectamente de que un jueves por la noche, antes de que la señorita Marta se fuese al extranjero con el señor José (insistió), tres «secretas» (ese término usó) irrumpieron en el apartamento de MB y después interrogaron a todos los inquilinos. Le pregunté cómo podía estar segura de que era un jueves y no otro día de la semana. Respondió que era el día en que ponía el bacalao en remojo para el almuerzo del viernes. A veces también comían bacalao otros días, pero los viernes no fallaba, así que debía de ser un jueves por la noche, a menos que fuese uno de esos otros días, no podía asegurarlo. Lo único que sabía era que estaba cambiando el

---

* Alusión a Marcelo Caetano (1906-1980), el último presidente antes de la revolución de 1974. Fue uno de los pocos miembros de la dictadura de Salazar que luchó por recuperar la libertad de expresión y por ciertas medidas liberalizadoras. *(N. del T.)*

agua del bacalao cuando la policía llamó a la puerta con mucha fuerza, gritando: «¡Policía! ¡Abra!». Se sintió tan aturdida que fue a abrir con un filete de bacalao en la mano. Por eso se acordaba de que debía de ser jueves. Teniendo en cuenta ese detalle, no me cabe duda de que sus recuerdos se corresponden con la realidad. La policía, por tanto, había ido a casa de MB el día en que ella debía tener el encuentro de urgencia con JV. Pero, como sabemos, no se encontraron.

La señora Maria do Resgate explicó que MB no llegó a casa hasta la noche, a una hora en que ella solía estar ya acostada. Sin embargo, en esa ocasión se había quedado a la escucha para avisar a la señorita Marta de la visita de la policía. Vivía en el cuarto derecha, es decir, justo debajo de nuestro apartamento. Incluso había bajado a la calle para comprobar si alguno de los policías permanecía a la espera. No vio a nadie, lo que le llevó a pensar que habrían ido a buscar a la señorita a otro sitio. O a usted, sobre quien también habían hecho muchas preguntas.

Cuando MB comprendió lo que había ocurrido, pareció quedarse muy tranquila, como si ya estuviese esperando algo malo. Juntas, comprobaron que la puerta había sido forzada, así como todos los demás estragos perpetrados por los policías. La señora Maria do Resgate se acordaba de que MB sólo se había mostrado alarmada cuando vio una prenda de ropa interior que habían ensuciado y dejado sobre la cama. Le pregunté de qué ropa interior se trataba y cómo la habían ensuciado. Pareció reacia a decirlo, habló primero de un sujetador atado a una lámpara. Cuando insistí, entendí que habían dejado sobre la cama unas bragas de MB con una mancha reciente de esperma. La señora quiso ayudarla a ordenar la casa, pero

MB le dijo que no podía quedarse allí por más tiempo. La acompañó al salón y MB se fue derecha a la mesa, donde no había nada. Pero al lado, en el suelo, entre varios objetos desparramados por la policía, encontró una hoja de papel, que dobló como si no quisiese que la señora leyera lo que estaba escrito en la hoja. Sin embargo, la señora había reparado en que no había nada escrito. Le pareció ver el dibujo de una flor.

Entonces MB le dijo, al parecer, que tenía que irse inmediatamente para avisar a JV de lo que había ocurrido, y que si al día siguiente aún no había vuelto sería porque se habría marchado; tal vez no volvería a verla nunca más. Abrazó a la señora, de repente muy conmovida, y le recomendó que también ella tuviese cuidado. Y que, si le hacían preguntas, dijera que no sabía absolutamente nada. A no ser que fuese JV quien se las hiciera. Ya tenía una bolsa preparada dentro del armario de la habitación. Se puso el abrigo y se marchó. La señora nunca más volvió a ver a MB ni a JV, y creo que por eso supuso que habían huido juntos. Pocas semanas después, vinieron unos individuos a buscar las cosas de la casa, dijeron que de parte de una empresa enviada por el señor José, que estaba en el extranjero, pero eso ella no sabía si era verdad o no, porque le hicieron muchas preguntas que no le gustaron. Al cabo de dos meses, una pareja con un niño pequeño se mudó al apartamento de MB, y poco después tuvieron una niña.

Con respecto a la señora Maria do Resgate, eso es todo. Es probable que fuese ella quien hizo correr la voz, en el edificio y en el vecindario, de que MB y JV habían huido juntos, de ahí, tal vez, el equívoco generalizado. Por lo menos es una explicación.

Al día siguiente de mi visita a Setúbal, decidí ir al Príncipe Real y a las Amoreiras. No me movió a ello ninguna razón en especial, tal vez solamente quería estar en los lugares donde ustedes dos se encontraban y, así, poder visualizarlos juntos. Son dos lugares a los que también yo voy con frecuencia. Al Jardim das Amoreiras, porque allí está el Museo Vieira da Silva y porque a veces voy con colegas del periódico a un agradable bar que hay en lo alto de unas pequeñas escaleras, el Procópio. Al Príncipe Real, simplemente porque sí. Es uno de mis sitios favoritos de Lisboa y me encanta aquel árbol. Que, a propósito, no es un cedro, como creo que pensaban usted y Marta, sino una especie rara de ciprés que, en vez de crecer hacia arriba, señalando el camino de las almas hacia el cielo, como los de los cementerios, se expande hacia los lados, protegiendo los cuerpos sobre la tierra. Es un árbol generoso. Perdone, estoy divagando. Tal vez sea un intento de diferir esta parte de mi informe. En cuanto al Jardim das Amoreiras, no hay nada que contar. Pero mi visita al Príncipe Real tuvo consecuencias perturbadoras. Prepárese, estimado amigo, para las malas noticias sobre las que ya lo he prevenido.

Me gustan los jardines. Me gusta sobre todo ver cómo los jardineros planifican la transformación de montoncitos de tierra en las flores y los árboles del futuro. En el Príncipe Real hay un jardinero con el que he charlado varias veces. Es un hombre de mediana edad, me fijé en él por los gestos meticulosos con que trabaja, usando herramientas antiguas que los demás ya no utilizan. Considera el ciprés de su propiedad, como él mismo dice que antes lo había considerado su padre, que también trabajó allí como jardinero hasta una edad muy avanzada. Me ha dicho que ese árbol es la única herencia de su padre. Y que éste lo amaba tanto que a veces, en la época en que aún podía trabajar, volvía por la noche para que el árbol no se sintiese solo hasta la mañana siguiente. Los demás se reían de él a sus espaldas, decían que hablaba con el ciprés como si fuese alguien de la familia, un antepasado, pero delante de él no se atrevían, creían que estaba medio loco y le tenían miedo.

Esta vez le pregunté al jardinero en qué año había empezado a trabajar, si ya estaba allí en 1972. Respondió que sí, que había comenzado a ayudar a su padre como aprendiz a los doce años, y que se acordaba perfectamente de que fue en diciembre de 1971, porque pasaba frío en las manos y se compró unos guantes de lana con su primer sueldo. También se acordaba de que había ayudado a su padre a colocar las luces de Navidad en la estructura metálica que sostiene las ramas del árbol, su padre no quería que agujereasen la madera con clavos. Entonces me sobrevino una terrible inspiración de la que casi me arrepiento. Perdóneme, José, pues para contarle esto no voy a poder mantener el tono de un informe objetivo. Le pregunté al jardinero si ya me había visto antes, no ahora, recientemente, sino hace muchos años, cuando aún era pequeño, por ejemplo, al año siguiente de que comenzase a trabajar.

La respuesta fue extraordinaria: que él no, pero que su padre, ahora muy mayor, sí que se acordaba, por lo que dijo cuando me vio hace poco. Vive actualmente en una residencia, está senil, pero hay días en que recobra un poco la lucidez, y entonces el hijo, si cae en domingo, lo lleva a ver su árbol. El viejo suele decir que sabe que él mismo aún está vivo porque el árbol se lo dice. Toma, por tanto, el efecto por la causa: como sólo va a ver el árbol cuando está lúcido, cree que los demás días no está vivo porque no ha visto el árbol. Parece ser que uno de esos domingos yo estaba sentada en un banco cerca del árbol, posiblemente esperando a algún amigo, cuando el viejo me miró, asombrado. Y a continuación dijo algo que el hijo no entendió del todo y que éste acabó tomando como un síntoma de su senilidad. Al parecer dijo, más o menos: «Así que al final no la mataron, pobre chica». Sucintamente, le expliqué al jardinero por qué le había hecho yo esa pregunta, y que no era de mí de quien su padre se podía acordar, sino de una mujer mucho mayor que se parecía a mí, y le pedí que me llevase a ver a su padre a la residencia.

Hemos ido hoy porque es domingo, un poco con la esperanza de que estuviese lo bastante lúcido para después llevarlo en mi coche a ver su árbol. Me he puesto un vestido que había sido de mi madre, a la moda de los años setenta, he imaginado que se parecería a alguno de Marta. La residencia es un antro siniestro, situado cerca de Vila Franca. La antesala de la muerte. El viejo no estaba en uno de sus mejores días y al principio no reaccionó ante mi presencia. Sugerí que fuésemos a dar un paseo. Cerca de la residencia hay un jardín, que más bien es una especie de descampado con algunos arbustos ralos. Fue el hijo quien le preguntó si me había reconocido, si aún se acordaba de mí, de antaño. El viejo respondió simplemente, como la cosa más natural del mundo, casi enfadado por que dudasen de su memoria: «¡Cómo no me voy a acordar!». Y después añadió, con los brazos medio alzados, como queriendo socorrer a alguien, mirándome: «Oh, señorita, cuánto daño le han hecho. Tanta sangre.

Mi pobre señorita. Discúlpeme, yo no podía hacer nada. Y usted, señorita, ni siquiera podía verme, con tanta sangre en la cara. Tuve miedo. Me escondí. Discúlpeme, señorita. Pero ahora está aquí, al final la han dejado vivir, alabado sea Dios».

Y eso es todo, José. En fin, casi todo por hoy. No he logrado que el viejo especificase qué daño le hicieron a MB ni quién se lo hizo. O no se acordaba de los detalles o le resultaba penoso recordarlos. Hablando después con su hijo, de vuelta a Lisboa, coincidimos en lo que es evidente pero imposible de comprobar: que el viejo vio que me mataban y ahora, al verme de nuevo, ha aceptado que al final estoy viva, sin ninguna noción del tiempo transcurrido en ese lapso. Me doy cuenta de que estoy escribiendo en primera persona, como si de hecho yo fuese Marta. Perdone. Pero fue así como me sentí. Su rostro ensangrentado era el mío, su cuerpo quebrantado era mi cuerpo.

Intentaré ser de nuevo objetiva para terminar mi informe. Supongo que lo que debe de haber ocurrido es lo siguiente (pero usted sabrá mejor que yo lo que pudo haber ocurrido):

La noche anterior a la fuga de JV, MB llegó tarde a casa. No habían acordado encontrarse, así que, por ejemplo, habría tenido que cumplir alguna tarea del Partido. Cuando llegó, la vecina la informó del registro de la PIDE. El detalle de la ropa interior manchada de esperma debió de despertar en ella un profundo pánico. Debió de entender esa sórdida tarjeta de visita como una amenaza de nuevas sevicias. Encontró en el suelo el papel con el dibujo del árbol que JV había dejado sobre la mesa, y decidió ir inmediatamente a buscarlo al Príncipe Real, a pesar de la hora que era. Llevó consigo la bolsa que ya tenía preparada para casos de emergencia, no porque supiese que JV se marcharía a la madrugada siguiente, sino porque sabía que bajo ninguna circunstancia podría volver a casa esa noche, tal vez no pudiese hacerlo nunca más. Si no encontraba a JV, pediría refugio a algún camarada, o a quien fuese. Tal vez fue también a las Amoreiras, pero lo más probable es que esperase en el primer lugar de encuentro habitual, junto al árbol. Asimismo, habría querido avisar a JV de la visita de la policía. E igualmente habría supuesto que el mensaje de urgencia podría haber sido motivado por algún problema del propio JV con la policía. De lo que sí estaba segura es de que no podía volver a casa. Y de hecho no volvió. Nunca más. Esperó demasiado tiempo. Después ocurrió lo que presenció el jardinero escondido. Había ido esa noche a hablarle a su árbol de la vida, y vio la muerte.

La terrible ironía es que, tal vez, en ese mismo momento, después de esperar a MB todo el tiempo que pudo, JV estaría cerca de la casa, bajando por las calles empinadas en dirección al Terreiro do Paço para coger el barco de Cacilhas rumbo a la otra margen del río, rumbo a la libertad. Y que de madrugada el carguero holandés zarparía de un muelle no muy distante de donde MB había vivido en Setúbal. Pero es evidente que ninguno de los dos podía conocer las causas del desencuentro. Tal vez MB fue demasiado imprudente al esperar tanto tiempo junto al árbol. O tal vez todo lo que vio el viejo jardinero hubiese ocurrido de todas formas, aunque MB hubiese desistido de esperar a JV y comenzado a caminar, abandonando la plaza. Los policías debieron de haberla seguido desde su casa, con la expectativa de que JV se encontrase con ella y entonces detenerlo. Como JV no se presentó (no podían saber que ya había estado allí), la agredieron brutalmente hasta darla por muerta. Su objetivo principal no era ella. Ya habían registrado la casa. Ya no era útil. En la plaza no había testigos. O eso creían. Y si la trataron tan mal como el jardinero dice haber visto, seguramente no la dejaron allí, sino que se la llevaron consigo. No a la prisión (usted me dijo que no hay constancia de ello en los archivos de la PIDE), sino allí donde su cuerpo jamás pudiese ser encontrado. Es lo único que puedo suponer. Parece que estas cosas solían ocurrir en aquella época. O tal vez haya otra explicación. Deseo ardientemente que sí.

*

Hoy es lunes, 12 de julio. He ido al periódico para saber si mi colega Carlos Ventura tenía alguna información que yo pudiese añadir al informe. Aquello era un verdadero pandemónium debido a los acontecimientos del viernes. La prensa inglesa debe de haber dado la noticia, pero tal vez sin entrar en detalles. El primer ministro portugués ha aceptado presentarse como candidato a la presidencia de la Unión Europea, parece que tiene posibilidades de ser elegido, y ha propuesto como sucesor al frente del Gobierno al número dos del partido, en la actualidad alcalde de Lisboa. A mí me parece que da lo mismo, pero mucha gente cree que no, que debería haber elecciones. Opiniones encontradas. Existe un precedente, cuando hace cosa de dos años dimitió el primer ministro del Gobierno socialista y el presidente de la República decidió que tenían que celebrarse elecciones, como de hecho se celebraron y llevaron al poder a la actual coalición gubernamental. Por tanto, como esta vez el presidente de la República no las ha convocado, estaría siendo incongruente en el uso de sus poderes constitucionales, y, más grave aún, considerando que él es socialista, estaría favoreciendo a los de la derecha. Sin embargo, quienes han intentado defender al presidente de la República argumentan que éste ha tomado la decisión constitucionalmente correcta porque las circunstancias son diferentes y, por tanto, el supuesto precedente no es aplicable; que, si había demostrado algo, era la imparcialidad política que corresponde a la dignidad de su cargo, y que era necesario que lo hiciese precisamente porque él mismo es socialista.

Pero creo que el problema fundamental es que hay quien considera que el primer ministro designado se comporta como un playboy (también hay quien piensa que eso forma parte de su «encanto»...) y que su partido nunca podría haber ganado las elecciones con él a la cabeza. Por tanto, todo esto sería una especie de golpe de Estado constitucional, por llevar al poder a quien no tiene legitimidad electoral ni probada competencia. Sin embargo, no deja de ser el vicepresidente del partido más votado. Además, ganó las elecciones al Ayuntamiento de Lisboa (como lo revela el estado desastroso en que ha dejado la ciudad), de modo que vaya uno a saber. Mientras tanto, los que prefieren ver siempre el lado ridículo de las cosas, y hay gente así en el periódico, bromean diciendo que todo esto no ha sido más que un arreglito entre compinches habituados a compartir mujeres, así que por qué no iban a turnarse también en el gobierno de la nación. Chistes machistas. Muy bien, pero eso, por lo que a mí respecta, si es verdad, es asunto de ellos. Y de las mujeres, claro, si les gusta ser compartidas. Volviendo a la parte más seria de la cuestión, parece que una solución de compromiso aceptable para todos habría sido que, tras tomar la decisión de no convocar elecciones, el presidente de la República hubiese consultado al Consejo de Estado y a todos los partidos para designar como primer ministro a un miembro más consensuado del partido en el poder. Sinceramente, no le veo la lógica a esa solución. Por lo poco que entiendo de estas cosas, o había elecciones o tenía que hacerse así. Por lo menos hasta ver si funcionaba. Y quién sabe si de ese consenso no habría salido alguien aún peor. Ciertamente, con menos legitimidad. Pero no. De hecho, el presidente consultó a medio mundo, pero debió de acabar aceptando las buenas razones del primer ministro dimisionario, que ya le habría dicho que no podía aceptar el cargo en Europa si él no aceptaba al vicepresidente de su partido como sucesor automático. ¡Mientras tanto, toda Europa presa de la ansiedad, la pobre! Yo qué sé. Ya se lo he dicho, qué más da. En todo caso, al cabo de grandes discusiones, en el periódico casi todos coincidieron en que, con razón o sin ella, quien ha salido peor parado de todo esto ha sido el presidente de la República, después de haber creado tantas expectativas con tantas consultas irrelevantes. Sus adversarios hablaban de traición y cobardía, de su suicidio moral y político; sus defensores lamentaban que fuese tan injustamente incomprendido y lo admiraban aún más por haber asumido conscientemente ese riesgo. Lo único que sé es que mi madre habría disfrutado un montón, ella que siempre veía siniestros enredos políticos en todo.

Creo que las reacciones emocionales se exacerbaron irracionalmente tras la noticia de la muerte de Pintasilgo. No sé si usted la recuerda: Maria de Lourdes Pintasilgo. Fue la única mujer que ejerció el cargo de primer ministro, y para algunos acabó convirtiéndose en una especie de conciencia del país que Portugal podría haber sido. Como nunca he conocido otro país además del que hay, no sé qué se podría esperar, siendo como somos. No obstante, aun los que creían que el presidente de la República no podía haber actuado de otro modo están aturdidos. Todos consideran que la elección del nuevo primer ministro no presagia nada bueno. No sólo por lo que el individuo es y no es, sino porque todo hace prever que tendrá que apoyarse en los miembros más oscuros de la coalición gubernamental. El mayor miedo es que el líder del partido minoritario de la coalición, el ministro de Defensa, a quien ya han caracterizado, no sin cierta gracia, como una especie de salazarista posmoderno, se convierta en la personalidad dominante del Gobierno.

Pero no importa, el nuevo Gobierno siempre podrá enriquecer la historia de la música. Como vive usted en Londres, es probable que no sepa que el primer ministro designado, ese señorito compinche del dimisionario, declaró hace unos años, muy seriamente, que le gustaba mucho la música clásica, claro que sí, sobre todo los conciertos de violín (!) de Chopin. Estaba en su pleno derecho, por supuesto, en ese momento era ministro de Cultura y la música formaba parte de sus competencias. Ni siquiera Eça de Queirós habría inventado algo así.

Yo, con un padre conservador y una madre que consideraba al Bloco de Esquerda como un partido elitista (su segunda boda la convirtió en una especie de marginal, y, en cierta medida, a mí también), en el fondo creo que la política es un impedimento para las relaciones entre las personas, porque los políticos rápidamente dejan de ser personas. En otras palabras, no me gusta lo que está ocurriendo por razones de higiene, sólo por eso. En el fondo no me interesa demasiado. Para mí, Marta Bernardo es más real que todos los políticos. Dentro de unos meses ya nadie se acordará de esta supuesta gran crisis, que no va a merecer una sola nota a pie de página en ningún libro de Historia. Tal vez usted, para quien la política pertenece al pasado, me comprenda.

Quien seguro que no lo comprendería es mi colega Carlos Ventura. Habitualmente tan reacio a posicionarse según las líneas políticas de los partidos, siempre tan ecuánime intelectualmente, esta vez se ha puesto hecho una fiera, ha perdido los estribos, y, cuando llegué al periódico, estaba escribiendo una crónica en la que hablaba de la creciente erosión de la seguridad social, de la legitimación del bandolerismo en la administración pública, de Portugal como una especie de mini-Rusia mafiosa tercermundista, todo con un lenguaje inusitadamente desaforado, poblado de referencias potencialmente difamatorias no sólo contra el primer ministro designado sino, sobre todo, contra el ministro de Defensa, por quien siente un especial rencor, ya que también ha sido periodista. Lo que más le ofende a Carlos Ventura no es lo que pueda haber de sospechoso en el comportamiento personal o político del ministro de Defensa, sino lo que cree que éste le ha hecho al periodismo en Portugal, al volver intelectualmente respetable (el hombre no es tonto) lo que puede haber de más sórdido en la prensa más sórdida. Está claro que la culpa no es sólo del ministro, pero yo creo que Carlos Ventura quería pagarle con la misma moneda.

Desde la saludable distancia de Londres, usted no puede hacerse una idea de lo que aquí se publica en la prensa supuestamente seria, a veces incluso me avergüenzo de mi profesión. Por ejemplo, algunos periodistas mezclan hechos probados con insinuaciones sin fundamento, o bien condenan escuchas telefónicas ilegales y violaciones de secretos de sumario al tiempo que reproducen su contenido y revelan el nombre de las personas afectadas, todo ello con la más virtuosa de las hipocresías. Mi madre hablaba siempre de cuando había Censura, de cómo la opinión pública se reducía al silencio. Ahora se hace lo mismo pero al revés, mediante la estridencia. Es así como se está neutralizando políticamente al pobre líder de la oposición, que tiene que explicar que no ha hecho lo que no ha hecho, que no ha dicho lo que no ha dicho, que no ha estado con quien no ha estado. Esto en cuanto a los periódicos. En la televisión, durante el caso de los pederastas de la Casa Pía, del que usted tal vez haya oído hablar, llegaron al extremo de hacer descripciones pormenorizadas de los órganos genitales de los acusados en programas emitidos a primeras horas de la noche, quizá para excitar a los críos antes de irse a la cama.

El propio ministro de Defensa fue objeto de especulaciones nunca probadas tras destaparse un escándalo por corrupción en una universidad privada a la que estaba vinculado. Hizo una serie de desmentidos públicos, incluido uno de cuyo título me acuerdo vagamente, algo así como: «Siempre las mismas trolas». Sin embargo, lo que no parece ser una «trola» es su apego a los valores predemocráticos de las guerras coloniales, como cuando rindió honores militares a los restos mortales repatriados de un teniente coronel que había desertado para luchar contra la independencia de Timor después del 25 de Abril. El suceso dio pie a la publicación de unas fotografías algo caricaturescas del ministro arrodillado rezando al lado del ataúd, las manos juntas, con la bandera nacional en un lugar prominente.

Carlos Ventura lo ha mezclado todo, desde aspectos de la vida privada del tipo, con la cual nadie tiene nada que ver excepto los que participan de ella, hasta el hecho de que haya ido recientemente a Estados Unidos a comprar equipamiento militar, algo perfectamente normal dadas sus funciones ministeriales. Quizá lo haya hecho para dar una lección ejemplar del periodismo que no se debe practicar, como él mismo ha dicho muchas veces. Cosas desagradables, que prefiero olvidar. Y, por supuesto, ha sacado a colación la susodicha fotografía publicada en los periódicos, cuando describió la escena del «virtuoso defensor de los valores salazaristas Dios-Patria-Familia arrodillado rezando de cara a los cañones», para relacionar ese «aguerrido acto de terrorismo patriótico» con la reciente compra de armas «en Estados Unidos, donde se había rodeado de toda clase de lujos, con dinero público y en plena recesión económica, acaso para comenzar de nuevo las guerras coloniales que, con él al frente, seguro que esta vez vamos a ganar». Y así sucesivamente, puntuación errática de quien no se para a respirar o, menos aún, a pensar, sarcasmo cruel, casi sin vestigios del genuino humor que habitualmente impregna lo que escribe.

Pero Carlos Ventura es un hombre digno y un excelente profesional, con quien estoy aprendiendo casi todo lo que sé sobre cómo tiene que ser el periodismo. Le recordé que una vez me había dicho que, en el periodismo de opinión, las cosas más importantes son las que deben quedar por decir, para permitir a los lectores que las entiendan como si ellos mismos las hubieran pensado. Casi descargó contra mí la furia que lo dominaba, pero acabó dándome la razón cuando borró toda aquella palabrería del ordenador y comenzó a escribir otra crónica, estilo *Lettres persanes* y, por tanto, mucho más sutil, aunque esencialmente viniese a decir lo mismo, sobre acontecimientos surrealistas en un país imaginario de telenovela. Resultó un texto aún más feroz por ser divertidísimo, construido por completo con oraciones negativas que enumeraban lo que los miembros del actual Gobierno nunca han dicho, nunca han hecho, nunca han desmentido. Y así lo convirtió también en una especie de alegoría ejemplar de lo que está ocurriendo en las democracias occidentales, trascendiendo las grotescas anécdotas portuguesas.

Como premio, le recordé que teníamos una conversación pendiente y, a pesar de las inevitables interrupciones debidas a otros quehaceres, logré que me hablase de lo que, de hecho, con gobierno o sin gobierno, más me interesa actualmente. Logré, por tanto, que me contase que el jueves se había puesto en contacto con uno de sus amigos, ex miembro del PCP, hoy vinculado a los Renovadores, que se acordaba perfectamente de José Viana y de Marta Bernardo. Ese amigo le confirmó que, según la versión oficial del Partido difundida en la época en que se produjeron los hechos, Marta había acompañado a José en la fuga o, por lo menos, que había salido después del país, ocasionalmente para reunirse con usted en Londres. Y que creía que esa información la había proporcionado el entonces representante del PCP en Londres, un tal doctor Sereno (o Prudente, no lo recuerdo bien, un nombre así). Pero seguro que usted ya sabe esto, porque el amigo de Carlos Ventura también le dijo que usted mismo le había puesto al corriente de todo el asunto, incluidas las circunstancias de nuestro encuentro en Londres. Le informó de que usted había estado con él (según mis cálculos) el día después de haber venido a mi casa y, por tanto, supongo que el mismo día en que regresó a Londres.

Lo más interesante (sorprendente) es que, según él, al parecer usted manifestó más interés en retomar una cierta actividad política en Portugal, tal vez afiliándose al grupo de los Renovadores, que en desvelar el misterio de Marta. Y que, de hecho, poco habían hablado de Marta Bernardo. ¿Es así realmente? ¿Para eso, en definitiva, vino usted a Lisboa? No sé por qué, casi me sentí como si usted me hubiese dejado sola con Marta. Como si ahora nos hubiese abandonado a las dos. Resulta irracional por mi parte, lo sé. No logré explicarle por qué a Carlos Ventura. Ni siquiera lo intenté. Él no habría podido comprenderlo. Pero espero no tener que explicárselo a usted.

Le mando esta carta/informe tal como ha salido, sin relectura ni correcciones. ¿Quiere que continúe con mis investigaciones o prefiere que desista? Me gustaría, en todo caso, tener noticias suyas. Voy a firmar con las iniciales de las dos, que corresponden a mi nombre completo. De momento, las que uso habitualmente, JS, sólo pueden quedar entre paréntesis. Como yo misma.

M(JS)B

9
Renovadores

Júlia de Sousa tenía algo de razón. José Viana volvió a Londres pensando menos en Marta Bernardo que en el encuentro con el ex camarada ex PCP. Pero la culpa, si es que había culpa, era de Júlia. Porque en ella pensaba aún más, y las dos corrientes de pensamiento confluían para excluir el pasado. Porque Júlia no era Marta. Porque el nuevo grupo político en el que tal vez podría recuperar el idealismo que había sido suyo no era el antiguo partido del que fuera militante, en la época de Marta. Así que regresó a Londres más con el deseo de futuros quizá todavía posibles que con la nostalgia de pasados muertos.

José Viana tenía miedo a envejecer cuando al principio lo encontramos ordenando su pasado en cajas de vino ya consumido. Acto fúnebremente simbólico, si fuese un hombre dado a simbolismos. Luego, fuesen ellas tan parecidas o no como había creído, vio en la joven mujer que fue a ayudar al aeropuerto la imagen de la mujer a la que había amado y que había perdido. Percepción simbólicamente compensatoria, si hubiera dejado que se mantuviese así. Después tuvo aquel sueño angustioso en el que la Marta que fue tenía que acabar muerta para dar lugar a la Marta que pudiese ser. Y él, en vez de quedarse quietecito en Londres riéndose de sí mismo y de sus involuntarios símbolos, fue literalmente a Lisboa para intentar abrazar fantasmas simbólicos. Y salió de allí con el pensamiento fijo en la hermosa muchacha y en una agrupación política con el nombre, ahora se entiende todo, de Renovadores. También se entiende que quien evita los simbolismos psicológicos de Freud puede caer en las acaso más peligrosas psicologías proféticas de Artemidoro, o sea, en lo que aún no ha ocurrido.

No iba al Wig & Pen desde la semana anterior al incidente del aeropuerto. Decidió ir. Puerta cerrada y explicación en un edicto pegado a la puerta: había dejado de existir. Así, de repente. El mundo se colapsaba a su alrededor. Racionalizó: no, el pasado abría paso al futuro. Tenía que despedir a la secretaria. Estaba harto de las malas caras por su mal llevada dedicación resignada. ¿Abandonarlo todo y mudarse a Lisboa? Tomó un papel y comenzó a hacer cuentas. Valor del apartamento, valor del despacho en Aldwych, conversión de todo eso en euros, precios probables de una casa en Lisboa. O Sintra. O Cascais. Tenía que informarse bien.

Estaba en eso cuando dieron en la radio la noticia del nuevo Gobierno en Portugal. Y a la mañana siguiente, sábado, la noticia de la muerte de Maria de Lourdes Pintasilgo. No tenía por qué haber una relación de causa y efecto, pero la yuxtaposición retrospectiva hacía que, como relato histórico, sí la hubiese. Nunca del todo ajeno a la vida política portuguesa, siempre nostálgico de sus años de militancia, José Viana había ido a escucharla cuando ella habló en el Institute of Contemporary Arts de Londres, en los años ochenta. Una religiosa con afán de corregir las injusticias de Dios en la materia del mundo. Lo opuesto a la secular Thatcher, entonces en el poder, quien relegaba a las víctimas de la injusticia del mundo al reino de los cielos.

144

En la época en que formó parte del Partido, abundaban los que decían que cuanto peor, mejor. Resultado: lo peor duró cuarenta y ocho años, y mucho de lo que después mejoró lo fueron desmejorando. No. Cuanto peor, peor. Había conocido bien y respetado al presidente de la República en los tiempos de las luchas estudiantiles y los años siguientes. Lo había votado con alegría. Cuando alguien como él procede así, olvidando los valores que deberían haber sido la razón de su voluntad de llegar al poder, la razón por la que el pueblo lo había elegido, está legalizando lo peor en nombre de lo mejor. Empeorando lo peor. Hasta que es demasiado tarde. Prefiriendo el legalismo a la equidad. Aunque lo hiciese con la mejor de las intenciones, eso no lo ponía en duda. Aunque lo hiciese por estrategia. Darles cuerda para que se ahorquen, como dicen los ingleses. Y después elecciones, cuando ya no tengan posibilidades de ganar. Y mientras tanto, el país, ¿qué? Destruir es rápido, reconstruir lleva mucho tiempo. Marcelo Caetano también procedió con las mejores intenciones hasta el final, tampoco había que ponerlo en duda. Hasta que fue demasiado tarde para el legalismo de las buenas intenciones.

El lunes, José Viana recibió por correo electrónico la carta/informe de Júlia de Sousa. Era asombroso cómo había logrado saber tanto sobre la desaparición de Marta en tan poco tiempo. Todo muy plausible. Una historia terrible. Pero la había leído como si fuera una historia de gente conocida, cosas vividas por otros, interesado pero distante. Lo que más le asombró fue que hubiese una joven tan generosa de por sí, hasta el punto de ser capaz de identificarse con otra a la que ni siquiera había conocido. Si eso no era un acto también político, entonces algo no funcionaba en lo que habitualmente se entendía por política. La cual, precisamente, pues Júlia tenía toda la razón, debería consistir en las relaciones entre las personas. Una pureza intacta, la de esa extraña muchacha. No se acordaba de si Marta también era así, no sabía si habría sido capaz de querer ser Júlia para que él pudiese reencontrarla. En el fondo, tantos años después, no era exactamente de Marta de quien se acordaba, sino, más bien, de sí mismo acordándose de Marta, de su ausencia. Y también, a veces, súbitamente, se acordaba de un gesto, de una sonrisa. Siempre le había dicho a todo el mundo que Marta había muerto, que había habido una Marta en su vida y que había muerto, que no podía haber otra explicación. Bueno, no siempre había dicho eso. Sólo al cabo de dos años, después de haber ido a Portugal a buscarla. Cuando regresó a Londres aún más desesperado. Pero ahora no quería tener que contemplar para siempre su cara ensangrentada. No era a Marta a quien él quería encontrar a través de Júlia. Era a la propia Júlia, vibrante de vida y de futuro. Y sin Marta, no obstante, ahora Júlia no habría existido para él, y él nunca habría podido existir para Júlia.

Releyó algunos fragmentos de lo que Júlia había escrito antes de entrar en el informe propiamente dicho: «sentí que [Marta] [...] se parecía a mí tal como yo soy ahora. [...] como si, en mi presente, yo fuese el futuro de Marta. Como si usted ya me hubiese conocido a través de ella. [...] casi me dieron ganas de pedirle que me llamase Marta». Y después, al final del informe, Júlia había colocado las iniciales de su nombre entre las de Marta. Como si ella supiera que él siempre había sentido que su vida la estaba viviendo entre paréntesis, entre la Marta que fue y la Marta que pudiese ser. Sin embargo, ya no era eso lo que sentía. Cuando la abrazó, al despedirse, fue el cuerpo de Júlia el que sintió contra el suyo, no el de Marta.

Pero ahora no sabía cómo darle a entender lo que sentía, unos celos casi físicos de Marta, porque bloqueaba el cuerpo vivo de Júlia, porque le usurpaba a Júlia. Y que, si algún día Júlia pudiese amarlo, no tendría motivos para tener celos, porque el cuerpo muerto de Marta nunca se interpondría entre los suyos, Marta en medio y ambos amándola, en vez de amarse el uno al otro. «Como si usted ya me hubiese conocido a través de ella. [...] Esto, no se preocupe, sin que haya ninguna ambigüedad en mi relación con usted, ambos sabemos que no soy su Marta.» ¿Lo sabía realmente? ¿Sin ambigüedad alguna? ¿Sabía que, de hecho, para él, ella no era Marta? ¿Que no era la imagen de Marta? ¿Y cómo no preocuparse, si toda la carta de Júlia le decía lo contrario? Porque la verdad es que todo el interés que Júlia podía tener por él era a causa de Marta. No era un interés por él, era por Marta, porque él había amado a Marta, porque Marta lo había amado a él. Era perverso. Era tan puro, tan generoso, que llegaba a ser perverso. Nunca había conocido a nadie así, con el terrible altruismo de Júlia.

Tuvo miedo de lo que le estaba ocurriendo. Toda la irracionalidad de una pasión adolescente exacerbada por la edad. Por la imposibilidad. Sabía, por haberlo observado en los otros, que las pasiones más violentas son las que suceden a destiempo, sin espacio ni tiempo para ser vividas. Y entonces es cuando se cometen los peores crímenes. Se sentía perverso frente a la generosidad de Júlia.

Sabía que en el momento en que desapareciese el interés de ella por Marta, también desaparecería su interés por él. Júlia casi era todavía una adolescente y él ya casi era un viejo. Si hubiera tenido hijos, si Júlia hubiera sido hija suya y de Marta, no habría ambigüedad sino continuidad, los afectos habrían estado definidos, legitimados. Así pues, ¿qué interés podría tener ella por él, por sí mismo? Júlia era la venganza de Marta. No sabía por qué habría de querer vengarse, pero sabía que Júlia era su venganza, y tenía miedo.

No obstante, ese momento de vértigo, o acaso de lucidez, se disipó rápidamente. Releyó el informe de Júlia concentrándose en los hechos. Iba a responderle ignorando el resto, que al fin y al cabo no era nada. Eran meras palabras de cortesía de una mujer joven y sensible dirigidas a un hombre mayor y a quien ella apenas conocía. Escritas para atenuar las malas noticias que se había propuesto comunicarle. Para ayudarlo a cambio de la ayuda que él le había prestado. Nada más. El resto era todo fantasía. Frustraciones de un viejo falto de afecto. Y seguramente, sí, también un modo de aplazar la reacción que, racionalmente, sabía que era imposible no tener ante la noticia, ante la confirmación de que Marta había muerto, ante las terribles circunstancias de su muerte. Había vivido tanto tiempo con la incertidumbre, incluso cuando decía que Marta estaba muerta, que la incertidumbre se había convertido en su modo normal de vivir, en la base de su estabilidad. Ahora había perdido el equilibrio, eso era todo. Choque aplazado. Aflicción transpuesta. Le escribiría a Júlia de Sousa para darle las gracias, hablaría de cosas concretas. Y también de la muerte de Marta. Tenía que ser así. De sus planes políticos. De todo menos de esto. Pero no escribiría ahora. No inmediatamente. Mañana.

Al día siguiente, José Viana debía defender un caso en el Old Bailey, de modo que hasta la noche no pudo intentar responderle a Júlia de Sousa.

Una sensación de vida postergada, mientras cumplía con la rutina del deber que había contraído con su cliente. En otro momento, el caso que debía defender habría servido de pretexto para charlas divertidas en el Wig & Pen, pero ni eso tenía ahora para levantar el ánimo.

El acusado era un impecable estafador que ya se había librado de la cárcel el año anterior. Hombre con mucha labia, la ropa hecha a medida por un excelente sastre de Oporto, un caballero a la antigua. En aquella ocasión, hasta el juez había sonreído. Tribunal de delitos menores, juicio relativamente informal. La estafa fue una *mail-order* distribuida a toda la comunidad portuguesa de Londres que anunciaba un libro titulado *La felicidad conyugal: lo que una mujer portuguesa debe saber antes de casarse*. Precio, una libra.

Incluso lo compraron más hombres que mujeres, aunque éstas tampoco fueron pocas, ellos para solazarse a un módico precio, ellas para no hacer mal papel en la cama conyugal. Una vez cobrado el cheque o el giro postal, de vuelta les llegaba por correo un folleto, en papel de mala calidad, con doce recetas para cocinar bacalao. El juez, bien dispuesto, aceptó como defensa que el bacalao era, en efecto, indispensable para la felicidad conyugal de los portugueses, la justicia inglesa se preciaba de respetar los valores de las minorías extranjeras, pero, aun así, advirtió al acusado que ni el tamaño ni la calidad del folleto justificaban el precio, que en el futuro tuviese cuidado.

Esta vez, el hombre se había anunciado como representante en Inglaterra de la nueva Real Lotería Invicta, su nombre impreso en una tarjeta blasonada con el dibujo de un barco *rabelo** flotando sobre el dudoso epígrafe «Portus Securus».

No sólo vendía números de la inexistente lotería, sino que después cobraba por adelantado el diez por ciento del valor de los supuestos premios para realizar la transferencia del hipotético dinero de forma clandestina y, así, evitar los impuestos del Ministerio de Hacienda, unos impuestos que, en el caso de que todo hubiese sido verdad, no habrían sido aplicables. Decenas de miles de libras: burla más grave, merecedora de la solemnidad del Old Bailey, no de un simple tribunal de barrio.

Esta vez tuvo la mala suerte de que el Doctor no estuviera en su mejor momento: intentó en vano la devolución de lo que aún quedase del dinero a las, al fin y al cabo, no menos deshonestas víctimas, declaración de quiebra, multa, suspensión de la pena. La ceñuda sentencia fue todo eso pero sin la suspensión de la pena: dos años de prisión. José Viana detestaba perder un caso, independientemente de la justicia o injusticia de la sentencia. Para consolarse, decidió ir a cenar al Petrus, acompañado por una homónima botella en consonancia con el lugar. Telefoneó, dio a entender lo que pretendía gastarse, le dieron mesa con la condición de que la dejase libre antes de las nueve. Pero hasta le dio tiempo de volver tem-

---

* Barco de vela con espadilla en lugar de timón que navega por el río Duero, sobre todo para transportar barricas de vino hasta Vila Nova de Gaia. *(N. del T.)*

prano a casa y escribirle a Júlia, debidamente estimulado por el magnífico 89.

Comenzó: «Apreciada Júlia de Sousa». Parecía una carta de negocios. Borró «Apreciada» y tecleó «Estimada». Lo borró todo. Tecleó «Júlia». Se quedó mirando a ver si era suficiente. No. Demasiado seco. ¿«Querida»? ¿«Queridísima»?

Júlia, amiga mía:

Gracias. Acuso recibo. He acabado sabiendo lo que más temía. ¿Qué más puedo decirle? Tal vez sólo lo que estoy pensando en este momento.

La Historia nos enseña que todas las restauraciones son fantasmagóricas. Siempre pretenden imponer el pasado en el presente. Por ejemplo, el Portugal que fue restaurado en 1640 ya no tenía nada que ver con el país que fue hasta 1580. No recuerdo quién dijo que *Los lusíadas* no son una celebración, sino un epitafio. El nuevo país que heredó el nombre del que había existido en el pasado sobrevivió vendiendo los objetos de plata que su gente encontró en los rincones de las casas. Por eso le llevó mucho tiempo convertirse en el modesto país que, de hecho, puede ser. Que es más o menos lo que somos ahora. Fui comunista porque creí en nuestra gente. Dejé de ser comunista cuando dejé de creer en mí. Pero aún me acuerdo de cuando creía.

Hoy en día está de moda desvalorizar la importancia histórica del partido en el que milité. El heroísmo de los camaradas que resistieron a las torturas. Que murieron declarando hasta el último suspiro que no tenían nada que declarar porque no reconocían la legitimidad de sus acusadores. Con los cuerpos quebrantados, la boca ensangrentada, los ojos vidriosos. Luchando por la libertad en nombre de un sistema político que la reprimía aún más brutalmente en los países donde había sido instaurado. Porque, después de ser instaurado, ese sistema político fue traicionado. Luchando en Portugal en nombre de un casi inexistente proletariado propio de un país semifeudal. Conceptos del siglo XIX en el ya globalizado siglo XX del capitalismo triunfante, que alcanza su apogeo en este nuevo siglo XXI. Para colmo, triunfante por haber sido más eficiente. La globalización parece dar mejores resultados económicos que la colectivización. Con crímenes equivalentes, pero ya no en términos de clase, ni siquiera de naciones, sino a escala planetaria.

Genocidios. Niños africanos hambrientos con caras de extraterrestres. Inoperante ayuda económica a los países subdesarrollados. Las «cleptocracias». Más del sesenta por ciento del dinero yendo a parar a las cuentas suizas de los presidentes y ministros de esos países. No hay nada como un país pobre para acumular fortunas individuales. ¡Angola es nuestra! ¿Nuestra?, ¿de quiénes? De los angoleños seguro que no. Si uno de esos países mejorase su situación económica y las ayudas dejasen de ser necesarias, se secaría la teta financiera internacional. Por tanto, a los «cleptócratas» locales no les conviene que sus países se desarrollen. Y tampoco les conviene en absoluto a los países del G7, u 8, o el número que sean, esos que se reúnen en islas fortificadas para evitar las protestas juveniles, para evitar crear futuros competidores en esos países. Todos de acuerdo, por tanto. Menos los jóvenes de las protestas, pero ya se les pasará con la edad.

Por estas y otras razones, después del colapso del imperio soviético, el propio Partido Comunista Portugués, por poner un ejemplo que me toca de cerca, ya no logra ser útil ni siquiera como grupo de presión. La lucha tiene que ser otra. Es indefinida, aún sin nombre. Con formas de acción aún no encontradas para fines aún sin determinar. Porque todo está ocurriendo a otra escala, aunque se finja que es como antes. Con designaciones recicladas del pasado. En Inglaterra, la izquierda ha alcanzado el poder por haber adoptado las políticas de la derecha. Y después todos muy contentos porque la izquierda está en el poder, para fingir que lo está. El terrorismo islámico sirve de coartada ideal, como en el tiempo de las cruzadas medievales. El 11 de Septiembre justifica cualquier cosa. Hasta en el caso de los ingleses, que parecen haber olvidado que sus padres sufrieron el *blitz*. Y que después éstos mataron más civiles en Dresde que los pilotos suicidas en las Torres Gemelas.

Que haya sido la primera vez que le ocurre eso a Estados Unidos no significa que todo el mundo deba creer que es la primera vez que ha ocurrido. Como si no hubiese sido preferible estar en el centro de Nueva York el 11 de septiembre de 2001, por muy horrendo que fuese, que en los arrabales de Hiroshima el 6 de agosto de 1945. O, incluso, que en Irak actualmente, destruido no por los crímenes que cometió el facineroso de Sadam, sino por los que no podía haber cometido. Con el pretexto de las Torres Gemelas, con las que nada tenía que ver. Seis veces el número de civiles muertos. Lo cual está generando más terrorismo. Donde aún no lo había.

Conozco un tipo aquí, en Londres, que estaba en Río de Janeiro cuando se produjo el atentado del 11 de Septiembre. Él mismo cuenta la historia, riéndose de su propio narcisismo. Es portugués, profesor en el King's College, donde lo conocí. Pero también es escritor. Había ido a Brasil para la presentación de un libro y concedió una serie de entrevistas. Una amiga le telefoneó por la mañana y le dijo que encendiese deprisa el televisor. Era un inusitado día de lluvia, aún estaba acostado. Se levantó de un salto, soñoliento, y lo encendió enseguida, muy contento. Le llevó varios minutos entender que aquellos aviones estrellándose contra las torres no eran una imaginativa introducción de un programa dedicado a él. El narcisismo es risible, sí, pero un mal menor.

Lo que detesto es la seriedad de los fundamentalismos, sean islámicos, judíos o cristianos. El Papa polaco al servicio del sida porque el sexo seguro es pecado. O, retrospectivamente, los fundamentalismos marxistas. O los mismos capitalistas. Petróleo. Guantánamo y sucursales de tortura. En las democracias, derechos civiles básicos vulnerados en nombre de la democracia. Contratos para la reconstrucción de Irak firmados por empresas asociadas a miembros de la administración estadounidense. El muro de Berlín en Israel. Arafat necesitado de que no haya una solución para poder fingir que se mantiene en el poder encerrado en casa. Mujeres y niños suicidas. Que a diario son llevados al suicidio para matar a gente igual de inocente que ellos. Israel necesitado de que no haya una solución porque también tiene todo el derecho a existir y hay quien se lo quiere negar. Tumbas de judíos profanadas con esvásticas. Pero también víctimas del nazismo adoptando políticas nazis. El colapso de las ideologías que nos han servido de guía toda la vida.

Aparte de la elección de Lula en Brasil, e incluso ésta quién sabe en qué va a terminar, lo único positivo que, en medio de todos los horrores, ha ocurrido últimamente ha sido la reacción del pueblo español a las mentiras de los políticos que pretendían ser reelegidos a horcajadas del terrorismo del que acababan de ser víctimas. No por miedo, como en Inglaterra supusieron enseguida, sino contra el miedo. Y, no obstante, ¿quién en su sano juicio podría preferir un país gobernado por Bin Laden y los ayatolás en vez de por el hipócrita de Bush, capaz incluso de fingir que es más estúpido de lo que es, o por el bobo alegre de Blair, cuya mayor ambición en la vida es ser estadounidense cuando sea mayor?

Usted tiene razón, la política sólo debería servir para mejorar las relaciones entre las personas. Pero para ello sería necesario repensarlo todo. Ser de otra cultura, de otra civilización. Ese amigo suyo periodista al menos aún logra indignarse. Creo que ya he leído algunas cosas de él en Internet, parece un tipo interesante. Y sí, claro que nunca he dejado de estar pendiente de la vida política portuguesa, claro que sé muy bien quién era Maria de Lourdes Pintasilgo. Hasta fui a escucharla, hace aproximadamente veinte años, cuando habló en Londres. Tenía muchas ideas nuevas que nadie supo aprovechar. Pero ustedes, los jóvenes de su generación, tal vez consigan lo que nosotros no hemos conseguido, lo que los políticos actualmente en el poder ni siquiera fingen creer que sea posible o siquiera deseable conseguir, como, a pesar de todo, yo creí cuando aún creía en mí.

Ya no he podido volver a creer en mí después de abandonar a la persona a la que más amaba y que me amaba y que creía conmigo en lo que yo creía. En aquellos tiempos se hablaba del pueblo. Se creía en el pueblo. Ahora defiendo a estafadores portugueses en los tribunales ingleses. Podría ser peor. Podría defender a estafadores ingleses en los tribunales portugueses. También podría mentirle, Júlia. Podría decirle que aún amo a la Marta que conocí. Podría decirle que la amo a usted, a la que apenas conozco. Tal vez porque no la conozco. Al menos tendría el mérito de hacerle reír. Es lo que siempre intento en los tribunales. Un juez que sonríe es un caso ganado. Porque, lo que se dice reírse, los jueces nunca se ríen. Se les paga para que no se rían. Pero no pretenda usted ser mi juez. Ríase a gusto. No se lleve la mano a la boca para disimular. Era un gesto típico de Marta, que le había quedado de las monjas. Los jóvenes deben reírse abiertamente de los viejos para no ser como ellos antes de tiempo. Marta tendría casi mi edad si estuviese viva. Ahora tendrá siempre la suya.

Voy a decirle otra cosa que es preciso que sepa. No sé si realmente se parece a Marta. No tengo una sola fotografía de ella. Ya no sé si me acuerdo. Sólo ella podría saberlo si, mirándose al espejo, la viese a usted. O si usted la viese a ella cuando se mira al espejo. Pero ahora Marta se ha vuelto parecida a usted porque está muerta. Si el recuerdo que los otros tienen de nosotros es el alma que sobrevive a nuestros cuerpos, y creo que no hay otra, entonces usted se ha convertido para mí en el alma de Marta. No por elección suya. Por mi culpa, porque la vi a ella a través de usted.

Pero usted no puede compartir mis recuerdos de ella. No podría recordar, por ejemplo, que el perfume que usaba, que yo le regalaba siempre que podía, era de Chanel. No el número 5, que todo el mundo prefiere, sino uno nuevo que salió por aquel entonces, el número 19, que deja una fragancia de flores secas. Tampoco podría usted recordar que yo solía leerle poemas. Cesário, Nobre, Pessoa, a veces incluso Camões, aunque ella tenía miedo de que le gustase porque le habían dicho que *Los lusíadas* era fascista. Poemas que hablaban de viajes. También Sophia.* Descubrió sola a Fiama. Gracias a las barcas.** Traduje para ella «L'invitation au voyage». *Le pays qui te ressemble.* ¿Cómo lo traduciría usted? En portugués se convierte en otro país. ¿Sabe que, para Baudelaire, ese país era Holanda? Creo que nunca se lo dije a Marta, le dejé que imaginase un país que se pareciese más a ella. Y después me fui a Holanda sin ella. Nunca he entendido por qué, pero cuando llegué a Londres fui diciendo por ahí que mi seudónimo en el Partido era Bernardo.

Hace poco, antes de ir a Lisboa a encontrarme con usted, tuve un sueño complicado en el que tenía que matar a una de las dos. Usted se ha anticipado. Decidió por mí, cuando me dijo que fue Marta quien murió. Pero no sé qué hacer con esa información. Es demasiado tarde para ser libre. Como ocurre con los presos que, tras cumplir una pena mayor en régimen celular, son restituidos a la comunidad.

Mi encuentro en Lisboa con el ex camarada que usted mencionó fue lo que me hizo pensar en lo que he empezado a decirle sobre las restauraciones. Me puse a pensar en eso. Habría deseado que las restauraciones fuesen posibles. Mi ex camarada aún cree que lo son. Tal vez usted lo conozca. Fernando Martins. También abogado, un poco

---

* Sophia de Mello Breyner Andresen (Oporto, 1919-Lisboa, 2004), autora de *Desnuda y aguda la dulzura de la vida*, *Nocturno mediodía. Antología poética (1944-2001)* y *En la desnudez de la luz*, entre otras obras. *(N. del T.)*

** Fiama Hasse Pais Brandão (Lisboa, 1938-2007), poetisa cuyo segundo libro, publicado en 1967, tiene por título *Barcas Novas*. *(N. del T.)*

mayor que yo. De la misma quinta que su padre. Guerra en Angola. Desde entonces, depresiones recurrentes. El último empleo de Marta fue de secretaria en su despacho. Ella nunca supo que él también estaba en el Partido. Nos pareció que era mejor así. Ahora no lo sé, saberlo podría haberla ayudado.

Y sí, por ese motivo fui a Lisboa, por las restauraciones, pero no de la manera que usted entendió. Fui por usted, aunque yo aún no lo supiese. El resto vino como una consecuencia natural de haberla conocido. Una especie de sustitutivo, un relato plausible sobre lo que yo no lograba entender. Usted es periodista, tiene que lidiar con plausibilidades. A mí, como abogado, me pagan para transformar las conductas no plausibles de mis clientes en relatos plausibles desde la perspectiva de éstos. Tendría todo el sentido del mundo que yo ahora volviese a la política a través de mi antiguo partido renovado, ¿no le parece? Por lo menos sería un relato plausible. Desde mi perspectiva.

Tengo que advertírselo. Soy casi un viejo que todavía se siente casi un joven. No hay nada más peligroso. Sé que, en este momento, para mí nunca podría haber término medio. Que si volviese a amar sería como una explosión que crea un desierto a su alrededor. Creo que lo mejor es que no nos volvamos a ver. Usted me preguntó si quiero que continúe sus investigaciones sobre Marta o si prefiero que desista. Por lo que a mí respecta, tanto da. Ya sé más de lo que necesitaba saber. Usted ya sabe más de lo que es bueno para usted. ¿Estoy abandonando a las dos, como sugirió? Si es que sí, así ha de ser. Fue lo que Marta dijo en mi sueño. ¿O fue usted quien lo dijo? Una de las dos. De mí no puede esperar nada bueno porque yo ya no tengo nada que darle a nadie. Ni bueno ni malo. Ojalá hubiese sido posible, tanto lo bueno como lo malo, sin que usted hubiese necesitado convertirse en Marta. Sin que yo hubiese necesitado ver a Marta a través de usted. Lo que no sé es cuándo habría sido posible. O si alguna vez habría sido posible.

Dos días antes de que usted viniese a Londres, cogí el metro. No es mi costumbre, normalmente voy en coche o tomo un taxi. Sólo había sitio de pie. Frente a mí estaba sentada una hermosa muchacha con piernas largas y falda corta. Cuando descruzó las piernas, me incliné fingiendo que quería dejar la cartera en el suelo. Artimañas de adolescente en celo. Me pareció ver en su pierna izquierda un tatuaje que marcaba la transición hacia la ingle. Como una invitación. Nos miramos el uno al otro y nos sonreímos. Pero había descruzado las piernas para levantarse y cederme el asiento. Por respeto a mi edad. La cara ya fláccida de arrugas, las entradas, el cabello blanco. El suyo, rojizo y largo. Éste es un relato que yo hubiera deseado que no fuese plausible, pero que es verdadero.

¿Y usted? ¿Ha cambiado ya la fecha de nacimiento en sus documentos? Hágalo cuanto antes. Ya ha visto que puede ser peligroso.

Le deseo lo mejor, ya que no puedo desearla de otro modo.

José Viana

10
Hechos y ficciones

No se puede matar a alguien imaginando su muerte. Sin embargo, eso es lo que hacen los novelistas. Se escribe, y las cosas suceden. Lo que no se sabe es si Júlia quiso matar a Marta o imaginarse muerta por la persona interpuesta de Marta. Se quedó, en todo caso, con una apacible sensación de poder y de libertad. Se había convertido en dueña de la memoria de los otros y, por tanto, creía que también, y por primera vez, en dueña de sí misma. Libre. Poderosa. Sin nombre. Con el nombre que eligiera según las circunstancias y las necesidades de las personas en que se transformase. «Nunca me ha importado no ser yo», le había dicho a Duarte. Mentira. Siempre le había importado. De ahí los juegos del «si fuera». Hasta ahora. Esto era diferente. Había entendido que no es necesario hacer las cosas para que éstas hayan ocurrido. Ésa era la diferencia. Que ahora era como si hubiesen ocurrido.

Le gustó lo que había escrito. Consideró, sin falsa modestia, que el detalle del bacalao en remojo y del filete en la mano de la hipotética vecina había sido francamente brillante, pues daba credibilidad a toda la ficción. Incluso había interrumpido la escritura para comprobar en Internet si, en efecto, el día 1 de junio de 1972 había caído en jueves. Perfecto. Es cierto que no habría importado si hubiese sido, por ejemplo, un lunes o un martes, puesto que, por si las moscas, ya había escrito que la vecina a veces también comía bacalao otros días de la semana. Por tanto, si se había confundido, la culpa era de la vecina, no suya. Son las ventajas de poder ser otra persona y no serlo al mismo tiempo. Por ejemplo, ella nunca comía bacalao en casa, sólo en los restaurantes, precisamente para evitar el olor del remojo.

También le gustó imaginarse que era el viejo jardinero que iba a hacerle compañía al ciprés durante la noche, a hablarle como si fuese humano. A veces a ella también le apetecía. De hecho, la idea se le ocurrió después de observar al jardinero del que dijo que era hijo de aquel otro jardinero que trataba al ciprés con particulares cuidados. Todo el mundo tiene un padre, es normal.

En cuanto a Marta Bernardo, no le hizo falta imaginársela. Era ella misma, fue a sí misma a quien sintió siendo ella. No como en una película o como en los sueños, viéndose desde fuera. O como cuando se miró al espejo para visualizar a Marta, el otro día. Mientras estuvo escribiendo fue diferente de todo eso. Veía las cosas que Marta veía sin verse viéndolas. Como si fuese ella misma viéndolas, en la vida real. Viendo la paliza de los policías, las manos y las caras de los policías, pero no el cabello de Marta empapado en sangre, los ojos cerrándose, Marta desvaneciéndose. Eso había imaginado que lo sentía, hasta se había llevado la mano al cabello, había cerrado los ojos, se había echado hacia atrás en la silla. No estaba segura de si eso era bueno o malo en términos de escritura. Después se había imaginado a sí misma sintiendo los dolores de la paliza en lugar de ver sus efectos físicos. Más problemático, no obstante, era el hecho de que sólo hubiese logrado visualizar a José Viana tal como él era ahora, con la edad que tenía ahora, con el cabello canoso, no como habría sido entonces. Seguramente más delgado. ¿Con apariencia frágil, puede que hasta vulnerable, el cuerpo quebradizo, por ser alto y delgado? De ahí que José Viana apenas apareciera en el informe.

Pero lo mejor de todo fue haber conseguido introducir en el informe algunas informaciones concretas, basadas en hechos reales. Lo cual demostraba que realmente había investigado. Duarte incluso le había pedido a su hermano, que ahora trabajaba con el padre como número dos de la empresa, que averiguase cosas sobre la familia de Marta. Y, en efecto, Carlos Ventura le había dicho que, tras la desaparición de Marta, en el PCP pensaban que ella había huido con José Viana o se había marchado poco después para reunirse con él en Londres. El amigo de Carlos Ventura, el de los Renovadores, existía realmente. Como también Fernando Martins, coetáneo del padre de ella en la Facultad o en el servicio militar, o donde fuese. Que el propio José Viana lo conocía era tan cierto que hasta había estado con él antes de coger el avión que lo llevaría de regreso a Londres. Qué pena que nadie pudiese apreciar su proeza literaria como es debido. Arte puro, sin destinatario. Porque el único destinatario, José Viana, era precisamente quien nunca podría saber que era arte.

Una pena aún más grande si pensaba en lo interesante que habría sido comprobar con él las semejanzas y las diferencias con respecto a lo que él mismo hacía como abogado. Era interesante que José Viana también hablase de relatos. De la transformación de aquello que era no plausible en un relato plausible. Desde la perspectiva del

163

cliente, que podría coincidir o no con lo que él pensase. No era exactamente lo que ella había hecho, pero le costaba ver cuál era la diferencia fundamental. Y cuál era la diferencia fundamental con respecto al periodismo de opinión de Carlos Ventura. También ese periodismo implicaba ver las cosas desde una determinada perspectiva y no desde otra. O incluso con respecto al periodismo más ligado a los hechos, el que supuestamente ella practicaba de vez en cuando. En una ocasión, Carlos Ventura sugirió que ella y dos colegas se asomasen a la misma ventana y mirasen a la calle, y que después contasen lo que habían observado. Salieron tres reportajes diferentes, y nadie había mentido. Uno habló de un perro en el que ella no había reparado; ella, de una mujer que había entrado en el edificio de enfrente; el otro, de un coche, o algo así, ya no lo recordaba. Por tanto, también necesitaba saber cuál era la diferencia fundamental entre ese tipo de objetividad y las fantasías que de vez en cuando proyectaba para Duarte Fróis. Dejando de lado, claro está, los relatos en que ella era simultáneamente autora y personaje.

Le apetecía organizar un seminario: ella, Carlos Ventura, Duarte Fróis y José Viana. Sobre ficciones verdaderas y verdades ficticias. Veracidad y perspectiva. Hechos y relatos. Qué ocurre cuando una persona sobre la que se escribe deja de ser una persona y se convierte en un personaje. Si también ocurre lo contrario. Que el personaje se convierta en una persona. Autor y personaje. Personaje y autor. Si el autor, aun cuando esté oculto, también se convierte en un personaje. No estaba segura, pero en el fondo le parecía muy sencillo, no veía cuál era el problema: una historia es una historia, los personajes no son personas, el autor también es un personaje.

Qué pena no poder hablar de todo eso con sus tres hombres actuales al mismo tiempo. Se rió: y después, todos a la cama. Eran curiosamente complementarios, los tres. Sí, pero, por ser diferentes, eran también imposibles de mezclar. Al contrario que ella, que sabía ser todos ellos. Hasta en la cama. Pero todos al mismo tiempo en la cama, mejor no pensarlo ni como una fantasía. ¿Y por qué no? Todas las entradas al mismo tiempo. Duarte para lo oral. No servía sólo para hablar. Carlos Ventura, lo de siempre. José Viana era el más problemático. Debía de ser del estilo macho dominante. De los que hacen daño. Seguro que a Marta le daba miedo, seguro que no se dejaba. En fin, tenía que acostumbrarse. Ella ayudaría. Si fuera necesario, podrían turnarse.

De repente pensó: ¿y si fuese verdad? Si fuese verdad que la PIDE no mató a Marta en el Príncipe Real, como ella dijo que el jardinero había dicho. Y que siguió viva y desaparecida en Portugal, como también podría haber ocurrido. Pero ¿y si fuese verdad lo que dijo el renovador: que Marta hizo las maletas a tiempo y fue a reunirse con José Viana en Londres? En ese caso, José Viana habría estado mintiendo todo el tiempo. Componiendo un relato. Peor, haciendo que ella compusiese el relato que más le convenía a él. Situándola en la perspectiva más favorable para el acusado.

La reacción de José Viana a su informe había sido extraña. Habló de todo menos de la muerte de Marta. De política, de la edad, del colapso del comunismo, de la globalización. Como si conversase con Carlos Ventura y no con ella. O con su madre, que era a quien le interesaba la política. Todo para decir que era demasiado viejo para ella. Por tanto, al mismo tiempo suponía que ella podría estar interesada en una relación afectiva con él, por mucho que fingiese que estaba diciendo lo contrario. Macho dominante. Que se atrevía a rechazarla. Diciendo que era mejor que no volviesen a verse. Macho presumido. Que la advertía de los peligros. Sí, pero ¿de qué peligros? Y eso después de toda aquella puesta en escena en el aeropuerto, del emotivo encuentro en Lisboa, de la historia de su gran amor perdido. Y ahora venía con que no sabía si realmente ella se parecía a Marta. Por falta de pruebas, como en un tribunal. Porque no había fotografías. Como si fuese creíble que no se acordase de quien se había acordado en cuanto la vio.

Pero si fuese verdad que Marta había estado en Londres con José Viana, entonces Júlia tendría que proteger la credibilidad del informe que le había mandado. Abrir paso a un destino alternativo de Marta. De manera que pudiese redefinir su propia función actual en el lugar de ella. Así pues, la hipótesis sería que el jardinero senil se había equivocado. La mujer que éste vio en el Príncipe Real, a la que los policías habían apaleado y después arrastrado hasta el coche como si estuviese muerta, era otra. Era vagamente de su misma edad y tenía un aspecto parecido. Esas cosas ocurrían en el Portugal de entonces. O, si no ocurrían, esa vez ocurrió. Ya se sabe que el viejo jardinero está senil. Parecía tener uno de sus días buenos, era domingo, el hijo lo llevó al Príncipe Real, pero, cuando la vio sentada junto al ciprés a la espera de Duarte, tuvo la alucinación de que era la muchacha cuya muerte había presenciado. A su edad todas las jóvenes se parecen. ¿No fue eso lo que José Viana también sugirió, cuando dijo que, a fin de cuentas, ya no sabía si ella y Marta se parecían? Que todos los chinos y los jóvenes son iguales. Macho pedante.

166

Está claro que, tres décadas atrás, el viejo había visto varias veces a Marta esperando a José Viana. Eso en el caso de que el viejo hubiese existido, claro. Pero la noche del 1 de junio de 1972, Marta no fue al Príncipe Real. O, mejor dicho, sí fue, pero se marchó antes de que llegasen los policías. Los policías habían ido más temprano a su casa, y se precipitaron cuando vieron a aquella otra muchacha junto al árbol, que sabían que era el punto de encuentro habitual de Marta Bernardo y José Viana. Hacía mucho tiempo que los seguían. Estaba oscuro, se equivocaron, atacaron a otra que tuvo la mala suerte de estar allí. Después de apalearla hasta, tal vez, darle muerte, tenían que hacerla desaparecer, fuera quien fuese. Hasta aquí, muy bien, todo queda explicado. Sin necesidad de modificar los datos de la vecina sobre el asalto de la policía, el bacalao en remojo, la puerta forzada, el sujetador atado a la lámpara, las bragas con esperma sobre la cama, la marcha de Marta a toda prisa diciendo que iba a encontrarse con José Viana. Diciendo que tal vez no volvería, como así fue.

El problema era qué le habría contado Marta a José Viana si al final se hubiesen encontrado en Lisboa, antes de que él se dirigiese al barco de los holandeses. Si se hubiese ido con él a Rotterdam. No, está claro que eso no había ocurrido, estaba absolutamente segura. A ese respecto, José Viana sólo podía haberle dicho a Júlia la verdad. No se habían encontrado en Lisboa. Pero ¿y si después Marta fue a reunirse con él en Londres? Porque ésa, claro, habría sido la parte de la historia que José Viana habría ocultado, lo que él habría querido que no se supiese. La parte de la historia que era peligroso saber. Pero si hubiese inconsistencias u omisiones en la reconstrucción que Júlia había realizado de los hechos, por creer que Marta no había ido a Londres, tanto mejor, ya que le serviría para convencerlo de que seguía creyendo en él. Y José Viana, en todo caso, debería fingir que creía que Marta estaba muerta, tal como Júlia le había dicho, pues de otro modo se habría visto obligado a admitir que había mentido cuando fue diciendo por ahí que nunca más había vuelto a verla.

Sí, pero ¿por qué? Es cierto que las personas no siempre cuentan las cosas tal como ocurrieron exactamente, sobre todo con relación a quien aman. Si, de hecho, Marta acabó marchándose a Londres, las circunstancias verdaderas sólo habrían llevado a José Viana a sentirse aún más culpable por haberla abandonado. Nunca habría olvidado que la había dejado, que había preferido su seguridad a la de ella. Por muy buenas razones que hubiese tenido. A pesar de todas las disculpas que después hubiese encontrado.

Y después de eso, la propia Marta, por amar a José Viana tal como lo amaba, tampoco hubiese podido contarle nunca toda la verdad. Por tanto, en Londres, si de hecho se marchó a Londres, Marta minimizó todo lo que pudo la peligrosa situación en que él la había dejado. No le quiso recordar que se había salvado gracias al Partido, y no gracias a él. Había refugios previstos para camaradas en la clandestinidad, lograron esconderla durante unos meses. ¿Semanas? Mantener la imprecisión: durante un tiempo. A pesar de que en el Partido estaban enterados de la fuga trotskista de José Viana, a pesar de que consideraban su acto una imperdonable traición ideológica. Pero los camaradas no eran totalmente inhumanos. La acogieron después de que ella no pudiese encontrarse con José

Viana y hubiese ido a buscarlos, con la bolsa en la mano. Entendieron que la profunda melancolía en que ella cayó después se debía al hecho de no saber dónde estaba José Viana, si estaba vivo o muerto. Le dijeron finalmente que vivo y recién llegado a Londres, según informaciones del representante del Partido, el doctor Prudente. O Severo. Nunca se acordaba del nombre de ese hombre.

En la célula de Marta se había producido un largo debate entre el rigor ideológico y la compasión humana. El asunto se fue filtrando verticalmente hasta llegar al comité central, donde no prevaleció ni una cosa ni la otra, sino el pragmatismo. Marta Bernardo podía convertirse en un peligro para la seguridad de todos. Que la dejasen marcharse. Que buscasen la manera de que ella se reuniese con el traidor Viana. Pero, a cambio, tenía que mantener un sigilo absoluto sobre lo que le había ocurrido desde la fuga de él. Con quién había estado, dónde la habían escondido, cómo había salido del país. Para no poner en peligro a los camaradas, para no perjudicar a otros que se hallasen en apuros. Que inventase cualquier otra historia si fuese necesario. Y tal vez ella aún podría rehabilitarlo un poco o, por lo menos, impedir desviaciones aún más graves. Le hicieron repetir, como un mantra: se empieza en el trotskismo, se acaba en el fascismo. Y ya está. Si Marta le había contado otra cosa a José Viana, ésta era la razón.

¿Y después, con Marta en Londres? Lo que hicieron o dejaron de hacer era irrelevante para la historia. Si no le gustó el clima, si se sintió muy sola, si no aprendió inglés. Eso era cosa de ellos. Lo importante, el gran misterio, era por qué motivo José Viana habría mentido, por qué habría dicho que Marta nunca estuvo con él en Londres, que no había vuelto a verla desde que se marchara de Portugal. Aquella desoladora nostalgia mezclada con el remordimiento, el modo en que la miró en el aeropuerto. Asombro, compasión. ¿Cómo se lo había descrito a Carlos Ventura? Aquella especie de esperanza de quien sabe que nada puede esperar. A Duarte le había hablado de ojos de inquisidor.

También eran ojos llenos de miedo. Pero ¿miedo de qué? Si Marta había estado con él en Londres y ya no estaba, si, por ejemplo, no se había acostumbrado al clima, no hablaba inglés, se sentía sola, si habían decidido separarse amistosamente y ella hubiese regresado sola a Portugal, si las razones de la separación hubiesen sido normales y él, treinta años después, se la encontrase inesperadamente en el aeropuerto, habría sido ocasión, a lo sumo, para un hola de sorpresa, ¿tú por aquí?, menos mal que me has telefoneado, ahora mismo me ocupo de todo, no te preocupes por la inspección íntima, no lo harán. Y después, al despedirse: es increíble lo bien que te conservas, cada vez estás más joven, cómo lo haces.

O, si no, al ver a una mujer tan parecida a Marta, tal como ocurrió, le hubiera dicho con toda naturalidad que era idéntica a una amiga a la que no veía desde hacía más de treinta años. Asunto arreglado. Sin que hubiese motivos para toda aquella dramática puesta en escena, para todos aquellos misterios. Incluso teniendo en cuenta el error en la fecha de los documentos, el malentendido con los nombres. Ahora se daba cuenta de qué había en aquella mirada de José Viana. Era la mirada de quien había visto a alguien que creía, no, peor, que sabía que había muerto. De ahí que hubiera dicho, en la carta que le había mandado: he acabado sabiendo lo que más temía. Claro.

Entiéndase: tuvo miedo de que Júlia acabase sabiendo lo que él más temía.

Claro. Tenía que pensar en esto hasta el final. Veamos. La muerte de un cónyuge, de alguien a quien se ama, debe de ser muy triste, una pérdida irreparable. Pero, por eso mismo, no puede ser un asunto secreto. La muerte del hombre o de la mujer con quien se ha compartido la vida es un acontecimiento público, un disgusto anunciado, no un secreto. Ver de repente a alguien idéntico a quien se ha amado y se ha perdido puede causar sorpresa, emoción, pero no susto. No puede causar el miedo que vio en los ojos de José Viana. El miedo de cuando él vio el cuerpo vivo de alguien que había muerto. Ver a alguien idéntico a quien se ha amado no debería haber provocado aquella ocultación tan sistemática. A menos que hubiese algo que ocultar. A menos que no hubiese sido una muerte normal. Una muerte con entierro público, amigos, vecinos. A menos —y era como si Júlia pensase en voz baja, para que nadie la oyese—, a menos que José Viana estuviese seguro de que Marta había muerto porque él la había matado. Y porque había hecho desaparecer el cadáver que después vio resucitado en ella. Y, si era así, ella misma estaba ahora en peligro, por saber la verdad. En peligro de muerte. Ella, la otra Marta. La Marta que había vuelto para contar la verdad.

Y entonces Júlia se rió. Increíble, había conseguido asustarse a sí misma. Hasta el punto de que había sentido un escalofrío, de que le habían entrado ganas de ponerse un jersey, con aquel calor. Lo que debió de ocurrir, claro, es que el doctor Severo o Prudente se equivocó. Confundió con Marta Bernardo a cualquiera de las compañeras ocasionales con las que José Viana pudo haber salido en esa época en Londres para mitigar la soledad, y mandó a Lisboa la información equivocada. Muy sencillo. Por tanto, ya era suficiente de construcciones novelescas, por lo menos de momento. En todo caso, tenía que pensarlo mejor.

De momento merecía algo de acción, estar con gente tangible. ¿Carlos Ventura? No. No le apetecía otra ducha vaginal tan pronto, después de la que tuvo que darse la última vez para consolarlo de la crónica y escuchar las informaciones del renovador. Tenía que encontrarse con Duarte, pobre, a quien tenía tan abandonado. Aunque apareciese con intenciones lúbricas. Con él sí que podía. Lo mandaría desnudarse, le pondría una venda en los ojos, lo ataría a la cama y le contaría historias. Por ejemplo, la del gitano de Martim Moniz, incluyendo peligros que no había habido. Esposas y un hierro candente rozándole los pezones. Cosa que le hizo recordar que en breve tenía que volver a visitar a la brasileña de las depilaciones, comenzaban a crecerle unos pelitos irritantes que le producían comezón. O le contaría la historia de un enano a quien le gustaba fingir que era un recién nacido que salía de entre sus muslos. O la de un transexual brasileño con quien, la última vez que había estado en París, habría ido a hacer la calle en Pigalle, fingiendo que también ella era un transexual. Bien. Y después se fue con un cliente. ¿Y después?

De modo que desistió de esa historia que no iba a resultar y llamó a Duarte con la frase ya lista y aplazada:

—Cariño, ¿quieres venir a someterte a mis caprichos? —Ya decidiría después cuáles serían. Pero, por lealtad, pues no convenía generar grandes expectativas, añadió–: Por ejemplo, someterte a «hoy no me apetecen caprichos», que siempre es lo mejor. Pero escucha, en serio: necesito hablar contigo. Tengo cosas que contarte.

Él respondió enseguida que sí. Sólo tenía que salir del Ministerio y coger el coche. Media hora.

–No, espera. ¿Y si fuésemos al Gambrinus? Marisco, una botella de champán y aire acondicionado. A las nueve. Para que tenga tiempo de refrescarme y disfrazarme de chico para ti.

–¿Con bigotito? Irresistible. Sí, claro.

Mesa en la parte alta, en un rincón. Ideal para charlar. Duarte también tenía cosas que contar. Noticias de Londres.

–¿Te van a destinar allí? Ya te he dicho que me gustaría.

–Es por tu monstruo, ¿verdad? Sólo si te casas conmigo. Por cierto, quien está allí de viaje y me ha telefoneado es Pedro Talaveira.

–¿Pedrito? ¿El de la pelusilla sobre el labio? Por eso querías que viniese al restaurante con bigote, ¿no? Para que, al imaginarte que soy él, se te levantase apuntando a Londres. Pero no te vas a salir con la tuya, de momento estoy muy ocupada siendo Marta Bernardo.

–Si fuese ella, ¿te casarías conmigo?

–¿Si tú fueses Marta Bernardo? No te olvides de que el único homosexual que hay aquí eres tú, no yo.

–De acuerdo. Pero soy un homosexual perverso, al que no le gustan los hombres.

–Entonces estamos empatados. A mí tampoco me gustan las mujeres.

–Si yo fuese a Londres, ¿te casarías conmigo? ¡Nos casamos allí! ¡Déjame que allí sea homosexual contigo bendecido por la Santa Madre Iglesia! ¡Seríamos tan felices!

—Más tarde. El siguiente de la lista. De uno en uno. Ahora estoy siendo Marta Bernardo para otro cliente. Y tengo cosas que contarte sobre ese cliente, ya te lo he dicho.

—También yo.

—Está bien. Tú primero.

Como Pedro Talaveira iba a Londres, Duarte le había pedido que hiciese algunas indagaciones discretas sobre el abogado José Viana en la Embajada y en el Consulado. Ciudadano respetado pero con antecedentes políticos dudosos. En las listas de invitados de la fiesta nacional portuguesa del 10 de Junio y de otras recepciones. Pero no en las listas de las cenas desde que rechazó una condecoración. De una orden menor, tal vez la rechazó por eso. Parece que de modesto no tiene un pelo. Pero hoy en día hasta los curas le mandan clientes. Se confirma, por tanto, que es un comunista regenerado. Sin escándalos conocidos pero mujeriego. Registrado en el consulado como soltero. Dicen las malas lenguas que durante algún tiempo vivió con una portuguesa ahora aparentemente abandonada, a la que ha reciclado como secretaria. Por lo que parece, gordita y ex guapa.

—Un rival peligroso, en consecuencia —concluyó Duarte—. Basta con despedir a la secretaria y es todo tuyo.

—Es más peligroso de lo que piensas —dijo Júlia como si no quisiera entrar en detalles, en los que, evidentemente, entraría luego—: y no por lo que piensas. También me he informado. Mira, tengo que decirte algo. Por eso te he telefoneado. Te echaba de menos, pero también tenía que decírtelo. Después dudé de si debía hacerlo. Porque es peligroso. Peligroso para mí y, si te lo cuento, también para ti. Pero no tengo pruebas. No. Es mejor olvidarlo. —Gesto de Duarte pidiendo que siguiese, quería saberlo todo—. Está bien. Es mejor que lo sepas por si me ocurre algo. Pero debes tener cuidado. No se lo cuentes a Pedro Talaveira ni a nadie. El doctor José Viana no es lo que parece. Creo... No, estoy segura: fue él quien mató a Marta Bernardo. —Miró a Duarte a los ojos, fijándose en si mostraban incredulidad, y aclaró, para dar mayor énfasis, como si él no supiese a quién se estaba refiriendo—: A aquella mujer de la que él dijo que era idéntica a mí. La que él creyó que era yo. Ya me entiendes.

La revelación fue interrumpida por la llegada orgullosa de los mariscos. Júlia decepcionó al magnífico *maître*, que se movía en perfecta sintonía con las maderas estilo fin de siglo XIX, diciendo que por ahora no. Que le sirviese primero a Duarte. Para ella, por el momento, sólo champán. El *maître* cumplió con su deber a regañadientes pero con la debida ceremonia, botella sujeta por la base, la espuma disipándose en las copas *flûte*. Duarte aún meditaba en lo que Júlia le había dicho cuando el solemne *maître* se alejó, con un requiebro de reina ultrajada.

—Pero si él... Escucha: si él sabía que esa mujer había muerto... No tiene sentido. Si la hubiese matado, ¿cómo, ni siquiera por un momento, incluso en medio del alboroto cuando te vio en el aeropuerto, cómo pudo creer que ella eras tú? ¿No ves que no tiene ningún sentido? Ah, está bien, es una de tus historias. Una historia de necrofilia. Tu novela. Vaya, los langostinos son magníficos.

Júlia reaccionó con una expresión que venía a decir: «Muy bien, si es eso lo que crees, no vale la pena continuar». Le hizo una señal al *maître* de que ya estaba lista para que le sirviera el marisco, la sonrisa contrita.

—Así. Gracias, sin mayonesa. Sin las cáscaras. Es suficiente, gracias. Así está bien.

Y Duarte, después de un momento:

—¿Cómo lo sabes? ¿Cómo podrías saberlo?

—Contactos en el PCP. Un ex PCP, de los Renovadores. El último jefe de Marta. Fernando Martins, puede que lo conozcas. En un bufete de abogados. He sabido que ella no había ido al trabajo ese día. Él ha creído que ahora debía decir la verdad. El propio PCP había ocultado los hechos. Habría sido un escándalo. Imagínate, en plena guerra colonial. Durante la lucha contra la dictadura. Un comunista que mata a una comunista. Imagínate de qué manera el régimen habría utilizado ese crimen. No se sabe a ciencia cierta si fue en Lisboa, antes de que él se marchase a Londres, o si fue ya en Londres. Si ella fue a reunirse con él en Londres o si él se deshizo del cuerpo en una zanja cualquiera, antes de marcharse solo. Para que pensasen que había sido la PIDE. Ay, Duarte, tengo miedo. Si él supiese que lo sé todo... Yo, que soy igual que ella. Como si ella hubiese resucitado en mí para acusarlo. Para vengarse. ¿No ves que estoy en peligro?

Claro que no. Pero Duarte no entendía del todo el propósito de esa fantasía de Júlia. Ni cuál era el papel que le correspondía como destinatario. Lo intentó de nuevo:

—Dime: ¿cómo va tu novela?

—Pero ¿cómo quieres que pueda escribir, después de esta revelación?

En fin, no merecía la pena esforzarse. El papel de Duarte debía ser el de crítico literario benevolente. La ficción con personas que existen debía ser, como mínimo, plausible:

—Ni siquiera sabes si la mujer se fue con él a Londres o

no. Pasó hace más de treinta años. Antes de que naciéramos. Aún estás impresionada por la turbación del hombre cuando te vio. El parecido físico. ¿Para qué matarla, aquí o en Londres, si podía simplemente dejarla y marcharse sin ella? Que fue obviamente lo que hizo. Puedes convertirlo en un cobarde, pero no en un asesino. No es fácil matar a una persona. Hacer desaparecer un cuerpo. Incluso en Londres, donde ya ni siquiera hay *fog*. Además, ¿para qué?

—Por lo que aún no te he dicho. Porque en el PCP no querían que él se marchase. Recuerda que los dos eran militantes. Querían que él fuese a la guerra. A trabajar en colaboración con Amílcar Cabral. Se habían conocido en Lisboa.

—Pero ¿Amílcar Cabral no estaba ya muerto?

—Con su hermano. Para que contribuyese desde dentro a la subversión de los soldados. Es lo que he sabido esta mañana. Marta Bernardo quiso impedir que José Viana se marchase a bordo del carguero holandés. Órdenes del Partido. Militante cumplidora. Si no lo conseguía, tendría que reunirse con él en Londres. Con órdenes de ejecutarlo sumariamente. En ese tiempo era así. El Partido no perdonaba una traición. Menos aún a trotskistas. Por tanto, él sólo tenía dos opciones: matarla aquí o matarla en Londres. Recuerda que no eran tiempos corrientes. En tiempos de guerra lo normal es la muerte. No fue cobardía, fue necesidad. Tenía que hacerlo. Lo descubrió todo y la mató antes de que ella lo matase. Con la salvedad de que ella nunca lo habría hecho. Habría desobedecido. Él no creyó en el amor de Marta. Por eso ella se dejó matar. Una especie de suicidio. Ejecutado por él. Ella nunca habría hecho tal cosa. Se sirvió del valor de él para matarse por esa razón.

—Y ahora te toca a ti —dijo Duarte ironizando—. Ahora te dejas matar tú, vivís muy felices y coméis perdices.

—Pero ¿es que no lo entiendes? Para él, yo soy ella. ¿No entiendes que si la mató una vez...? Quien es capaz de matar a la mujer a la que ama, a una mujer a la que amó... Quien es capaz de matar así no es normal, ¿no lo ves? ¿No crees que sería capaz de matarla otra vez? ¿Que tendría que matarme otra vez? —insistía Júlia, más enfática a medida que se notaba menos convincente.

—Hum... —murmuró Duarte, riendo—. Tienes que trabajar más esos detalles. Ahora sáltate esa parte de la novela y cuenta el final. ¿Cómo te mata? ¿Se te echa encima y revientas del peso?

—¡Estúpido! ¡Ya no te quiero! Ya te he dicho que no estoy escribiendo ninguna novela. —Pero Júlia también acabó riéndose—. ¿Aún queda champán?

11
Duplicaciones

Se había pasado los últimos días pensando en los problemas que plantea escribir una novela, pero tal vez Júlia de Sousa aún no hubiese entendido que es perfectamente normal que los escritores se sientan a veces avergonzados por los comportamientos que imaginan para sus personajes. Y que es algo que puede ocurrirles a los mejores escritores. Quizá, precisamente, sólo a éstos. La solución es olvidar y cambiar de rumbo. O, por lo menos, consultarles, saber a partir de los propios personajes qué son capaces de hacer y pensar, y qué no. Ellos siempre te lo dicen. No como personas, claro, sino como personajes. El autor se consulta a sí mismo a través de ellos.

Júlia se despertó de repente a las seis y media de la mañana; no le gustaba lo que estaba sintiendo. Al principio ni siquiera reconoció de qué se trataba, creía que la culpa era de Duarte, que insistía en que ella estaba escribiendo una novela. Todo porque a veces jugaba con él al «si fuera». Todo porque no le apetecía llevárselo a la cama y hacerle las guarrerías prometidas. Hacía demasiado calor, no le apetecía. De acuerdo, no podía evitar aquella obsesión suya por José Viana y Marta Bernardo, pero eso no venía al caso, no le apetecía y ya está. Por culpa del mariquita de Duarte, que ni mariquita se atrevía a ser, había imaginado una secuencia de los hechos grotesca, una conclusión absurda para una historia que, encima, tenía que ver con personas que merecían algo mejor, personas que habían existido y que existían, personas que habían empezado a tener que ver consigo misma, todo y todos relegados a un plano que ni ella ni nadie merecía, peor que las novelas rosas seudoliterarias de su colega periodista, del estilo de *Sólo para mí.*

Así pues, Júlia de Sousa en uno de sus momentos excesivos. Y, por tanto, con la necesidad de no entender que el exceso es siempre, también, un disfraz de frustraciones. Sabiendo perfectamente que había pensado en todo aquello sola, que Duarte, si algo le había hecho entender, era que aquello no tenía sentido. El disparate de que a Marta la hubiese matado José Viana.

Pero también entendía o, por lo menos, intuía a disgusto que el problema no era que se tratase de personas que existían, sabía perfectamente por experiencia propia que lo que uno imagina siempre tiene más que ver con quien imagina que con quien es imaginado, que da lo mismo si éste existe o no. Eso era para ella algo evidente, lo sabía por experiencia. Y eso era lo que la inquietaba: haber imaginado tales cosas para sus personajes. Y, por tanto, para sí misma. También sabía perfectamente que un autor tiene que dejar de ser quien es y convertirse en un personaje ficticio que comparta sus propias ficciones. Para poder imaginarse imaginándolas. Al fin y al cabo, eso había hecho ella misma en la carta/informe a José Viana. Pero sintió que esta vez se había quedado a medio camino. Entre la persona que a veces no le gustaba ser y la autora que quería ser. Entre su narcisismo personal, que en el fondo nunca se tomaba muy en serio, y la humildad de una autora, que reconocía como algo indispensable. Con la voluntad de imponerse en tanto que Júlia de Sousa. Sin colaborar consigo misma como autora. Furiosa por no haberlo conseguido. Por no haberse acordado de que, a fin de cuentas, también sabía perfectamente que la caridad como autora comienza por una misma, porque todos los personajes son quien los imagina.

Había empezado pretendiendo imponerse sobre Marta Bernardo, pero eso al menos era sólo necrofilia, Duarte entendió eso enseguida mediante aquellas bromas comunes, era natural. Y ahora pretendía imponerse sobre José Viana. Y no como persona, tal vez eso ni siquiera fuese difícil, pues él se encontraba en una fase vulnerable, bastaba con pillarlo en el momento oportuno, ella ya se imponía así sobre Duarte Fróis. Debía imponerse como alguien que sólo puede existir en lo que es imaginado. Sin entender que para eso hay unas reglas, hace falta mucha cautela, hay que mantenerse íntegro, es mucho más peligroso para quien imagina que para quien está siendo imaginado. Sí, reconocía aquella obsesión por el poder. Se rió de sí misma, de repente totalmente despierta. Sobre Carlos Ventura no se imponía así porque era un hombre precavido y literariamente bien informado, que se quitaba las gafas y se concentraba en lo esencial. Se desperezó. Era mejor levantarse. Pipí-dientes. No, era demasiado temprano, si se levantaba ahora no habría dormido lo suficiente y andaría todo el día con la cabeza embotada. Era mejor quedarse en la cama un poco más, pensando medio dormida.

Por supuesto, sabía perfectamente que, por mucho que ocurran cosas así, no era posible que José Viana hubiese matado a Marta para evitar que ésta lo matase a él. Por órdenes de un PCP de película de cine negro, del estilo de «tenemos formas de hacerle hablar». Era suficiente leer los periódicos, o tan sólo las crónicas de Carlos Ventura, para saber que quienes hoy en día recurren a esas formas de hacer hablar a alguien son los, supuestamente, buenos de la película. Tampoco era posible que el reincidente José Viana la matase también a ella, después de haberle escrito cosas tan difíciles y tan sinceras, creyendo en su generosidad. Una generosidad también genuina, no todo era fingimiento. Lo que debía hacer era meterse en un avión e ir a Londres a hacerle pasar un buen rato, él lo necesitaba. Compensarlo por aquella escena cómica en el metro que tanto lo había humillado. Y, para colmo, la chica del tatuaje sólo quiso ayudarlo, ser simpática. Como ella. De acuerdo, cuidado con las ayudas y las simpatías.

Pero la culpa no era sólo de Duarte, por hacer que confundiese fantasías de «si fuera» con plausibilidades imaginadas. Era también de Carlos Ventura, por decirle que lo más interesante era no encontrar a Marta Bernardo. ¿Y si Marta Bernardo estuviese viva? ¿Cuál era la historia de Marta, que aún no había entrado en la historia? ¿Y si Marta hubiese estado siguiéndola todo el tiempo, mientras ella imaginaba ser Marta Bernardo?

Pipí, con dientes o sin dientes, ya vería. Tenía que levantarse ya.

No había dormido lo suficiente, qué se le iba a hacer.

Ya que estaba de pie, se puso la bata que estaba colgada en la puerta del cuarto de baño, fue al salón y encendió el ordenador.

Comenzó a escribir:

El día 1 de junio de 1972, Marta Bernardo se había despertado contenta porque ya era jueves. Un día más y, como no se había producido ningún aviso en sentido contrario, se encontraría con José. Un día y medio, para ser exactos. Eran las seis y media. Desde que no dormía con él, se despertaba siempre a esa hora. No necesitaba despertador. El sol entraba en la habitación desde lo alto del Castillo de São Jorge. Treinta y seis horas y treinta minutos, si él llegase a la hora de costumbre. Treinta y seis horas y veintiocho minutos, si fuese puntual. Así, en horas y minutos, parecía demasiado tiempo. Era mucho mejor pensar que estaría con él al día siguiente, que sólo faltaba una noche.

Júlia de Sousa hizo las cuentas con papel y lápiz. Escribió:

Dos mil ciento ochenta minutos es insoportable.

Marta había quedado con una amiga en que cambiarían de apartamento ese fin de semana. Una camarada de confianza. No tenía exactamente un apartamento, sino una especie de estudio, con cocina incorporada y un pequeño cuarto de baño separado. Ella y José podían pasar allí la noche juntos. Si José pudiese, si pensase que no había inconveniente. ¡Todas aquellas precauciones!

Pero, por la mañana temprano, ella iría hasta la ventana que daba al patio interior para decirle qué bonita vista había del Castillo con el sol encima, después fingiría que iba hasta la ventana del salón para decirle cuántos barcos había en el río, y elegiría aquel en el que iban a viajar los dos. Pero no a la guerra. Las guerras acabarían mañana por la noche para siempre. Mañana por la noche las personas serían felices. En el país que se parece a ti. Nunca le había dicho cuál era el país del poema. No importaba que la habitación de la amiga sólo tuviese una ventana que daba a un patio interior y que no hubiese salón. Ella podría decirle qué vista había, sin que él tuviese necesidad de verla. José no era como ella, cuando se despertaba se quedaba siempre mucho tiempo con los ojos cerrados, rezongando. Por ser tan grande. Mucho cuerpo para dormirse y mucho para despertarse. Pobre, en el ejército no podía, tenía que levantarse al toque de corneta.

Júlia de Sousa vaciló: ¿tocarían realmente una corneta en los cuarteles? Lo preguntaría después, tal vez Carlos Ventura lo supiese.

Pero allí, mientras José se despertaba, ella podía decirle que fuera hacía un día espléndido, mi querido perezoso, que el barco ya estaba preparado para los dos. ¿Cómo decía el otro poeta que a él le gustaba? Pongamos rumbo a Dinamarca, que Hamlet me espera en el muelle. Y también estaba aquel otro: casa blanca, nave negra, felicidad en Australia. Todo viajes. Se había despertado con la cabeza llena de viajes. No merecía la pena imaginar que viajarían en barco. Y seguro que no a Australia, en una nave negra. ¿Serían blancas las casas australianas? Hoy en día los navíos portugueses iban casi todos a la guerra.

Lo más probable era que los dos saliesen del país por tierra, por la frontera española, en una de las zonas poco controladas, hacia el norte. Era la parte más peligrosa del viaje. Pero si todo iba bien, después de España, Francia. Y después ya verían. Argelia. José tenía amigos allí. Parece que también en Escandinavia. Pero no en Dinamarca, con Hamlet en el muelle, esperando. Creía que en Suecia.

Marta se levantó. Se desperezó con el placer de sentir su propio cuerpo. Pipí urgente. Ojalá no le viniese la regla. Lo estropearía todo. No porque a José le importase. Pero tenía períodos tan difíciles desde aquello. A ella sí que le importaba. La sangre le hacía recordar. Calma. Se pasó la mano y miró. No tenía sangre. No tenía la regla, ni aún le tocaba. A veces se equivocaba, pero, si había hecho bien las cuentas, faltaba por lo menos una semana. Ahora tenía que arreglarse rápidamente para salir. Tenía una cita a las ocho, antes del trabajo. Y después tal vez tuviese que ir a Setúbal. Cosas del Partido. Debía hacerlo. Se lavaría el pelo al día siguiente. Aún quedaba un poco del Chanel n.º 19 que José le había regalado. Lo guardaría para mañana. Ahora prefería quedarse mirando el río antes de salir. Contar los barcos, como si lo hiciese para decírselo después a José.

En el Partido no querían que José desertase. Él se lo había contado todo. Hasta las conversaciones secretas. Lealmente. Dándole la opción. Haría lo que a ella le pareciese mejor. Los camaradas insistían en que el trabajo más importante contra la guerra había que hacerlo dentro de la guerra. Pero él convencería a los camaradas. Siempre lo conseguía. Lógica perfecta, argumentación sólida, motivaciones políticas impecables. Sería utilísimo para contactos en el extranjero. Con la prensa internacional. Francés e inglés fluidos, alemán razonable. Nunca sería un desertor, era un combatiente. Desertores eran los que no iban a la guerra por miedo a morir. A acabar mutilados. Él lo hacía por valentía, pues asumía otros riesgos igualmente serios. Para no matar. Sin la posibilidad de volver a Portugal. Tal vez nunca más. Los camaradas lo comprenderían. Pero la verdad es que ella misma albergaba dudas. Ella sí que tendría problemas, no dominaba otras lenguas. Iría con él cuando se lo dijese. Lo dejaría todo. En el Partido lo comprenderían. Pero podía ser un error sin remedio. Podía no haber felicidad en Australia.

Júlia de Sousa paró de escribir. Bien, ¿y ahora? ¿Y después? ¿El resto del día de Marta? Se levantó, fue a la cocina y puso agua a hervir. Dudó de si haría té, como de costumbre, o café, tal vez sería mejor para espabilarse. Fue a lavarse los dientes, se le había olvidado cuando se levantó, con las prisas del pipí. Automáticamente hizo té cuando volvió a la cocina, mientras pensaba en nombres posibles para los personajes. Excepto para aquellos que por ahora tendrían los nombres reales, claro. Puso la taza en la mesa, al lado del ordenador. Continuó:

La cita era con el responsable político de Marta, suponía que para darle instrucciones sobre la posible tarea en Setúbal. Seudónimo Hélio, aunque ella supiese de sobra cuál era su verdadero nombre. Y el de ella Ana, que eligió por ser un nombre perfecto, sin derecho ni revés. Le daba tiempo de ir a pie, conocía todas las travesías hasta allí abajo. A las ocho en la estación de Santa Apolónia, según el viejo principio de que cuanto más público fuese el lugar, más secreto.

—¿Estás segura de que no te han seguido?

Era una pregunta rutinaria, si la hubiesen seguido ya sería demasiado tarde, Hélio no esperó a que respondiese. La verdad es que Marta creía que sí, que esa mañana la había seguido una mujer mayor, con gafas, labios fruncidos por una dentadura postiza mal ajustada, rostro no obstante con restos de belleza, porte elegante. Había reparado en ella ya en la puerta de casa. Y creía que había vuelto a verla de nuevo hacía poco, allí, en la estación. Una apariencia familiar, de alguien a quien hubiese conocido, aunque no supiese cuándo ni dónde. Era, sin embargo, una presencia benévola, protectora. No le dijo nada a Hélio porque no quería alarmarlo, no había motivo para ello. Ya había visto varias veces a aquella mujer, pero no sabía si de verdad o en sueños. Era mejor no decir nada.

Hélio estaba explicándole que había un cambio de planes. Dejarían Setúbal para otro día. Había traído el coche, iban a dar una vuelta. Que no se preocupase por llegar tarde al trabajo, enseguida vería que no había ningún problema.

Marta había empezado a trabajar en mayo en un despacho de abogados. El jefe más joven, el que la había contratado y con quien trabajaba directamente, era profesor adjunto en la Facultad de Derecho, el doctor Fernando Martins. Había participado en la guerra de Angola. De vez en cuando desaparecía sin avisar, se decía que con crisis depresivas. Pero era muy simpático. José lo conocía, tal vez la recomendó y por eso Fernando Martins le había dado el trabajo. Pero ni el uno ni el otro se lo dijeron y ella sabía que no debía preguntar.

Al final, con el coche no dieron una vuelta muy larga, sólo hasta las Avenidas Novas. Hélio redujo la velocidad en la esquina con la Rua Elias Garcia, tomó una bocacalle y aparcó el coche. Subieron en el ascensor hasta el segundo piso, donde los esperaba, muy sonriente, el doctor Fernando Martins.

—Hola, Ana, ¿cómo estás? ¿Y tu Bernardo? Mañana, ¿no?

Marta notó, sorprendida, que el doctor Fernando Martins la había llamado por el seudónimo del Partido. Y la había tratado de tú, como era de rigor. Pero parecía estar confundiéndolo todo al mencionar también su apellido, Bernardo. O confundiendo el nombre de José con el suyo. Podía haber ahí un grave y peligroso error, debía ir con cautela.

—Disculpe, doctor, no lo entiendo. Yo soy Bernardo, pero Marta. Marta Bernardo.

—Tranquila, no pasa nada —dijo Hélio cuando entraron en el apartamento—. Te presento a nuestro camarada Valdemar.

Quien añadió, bromeando sobre el azoramiento de Marta:

—¿Te has fijado en que, por definición, los mares no tienen valles? Regla número uno, intentar lo imposible. Y ser valle o montaña según el movimiento de las olas. Ésa es la regla número dos. Tener apariencias distintas, pero siempre formar parte del mismo mar. Por eso me alegra mucho saber que tu compañero no te ha dicho cuál es su seudónimo. Es un romántico, ese muchacho. «Se transforma el amador...» No hagas caso, ha sido pura coincidencia. Ése ha sido siempre su seudónimo. O, si no, es que estabais predestinados. Pero, escucha, tenemos que hablar. Él y yo estamos trabajando en algo juntos. El camarada Hélio ha venido contigo para que no tengas dudas. Ha surgido un problema urgente, por eso hemos decidido que era mejor así.

Hélio se levantó, ya había cumplido su tarea:

—Resolved ese asunto. Ahora me largo. Buena suerte.

—Ocurre lo siguiente —comenzó el abogado cuando Hélio hubo salido, pero se interrumpió enseguida—. ¿Café? ¿Té? ¿No? Muy bien, yo también me he tomado uno antes. Mira, te voy a llamar Marta y no Ana porque me va mejor así. Tú, a mí, llámame Fernando. Prefiero que sea así, para evitar malentendidos. Puedes tratarme de tú, claro, pero Fernando. ¿De acuerdo?

—No se preocupe. Mejor doctor, como es costumbre en el despacho.

—No es por eso. No hace falta. Posiblemente ya no haya despacho para ti. Ocurre lo siguiente: Bernardo, es decir, José Viana, ha desaparecido del cuartel. Antes de la llamada de la mañana. ¿Sabes algo? —Y como Marta meneó la cabeza, añadió—: Sé que vuestro encuentro es mañana al atardecer. Lo sé porque él a veces duerme aquí, en casa, los viernes. Dos juristas. Dos colegas. No es sospechoso. ¿Y no tienes idea de lo que él va a hacer hasta entonces?

Marta no decía nada, quería controlarse ante la revelación de que finalmente José había desertado.

Y Júlia de Sousa paró de escribir, considerando que aquello no llevaba a ninguna parte. Quería escribir sobre las dos mujeres: la más joven, a la que había llamado Marta, y la mayor, la que la había seguido. Invirtiendo las edades de ella y de Marta Bernardo. Y le salió aquello. Con aquella profusión de personajes, de nombres y de seudónimos embarullándole la escritura. Y, sobre todo, con tanto diálogo, que era lo más difícil. ¿Cómo se hace? Lo que dicen los personajes tiene que ser al mismo tiempo un modo de caracterizarlos y de hacer que la acción avance; si no, es una lata. Además, sabía de sobra, por su experiencia en entrevistas, que un diálogo fielmente transcrito nunca reproduce lo que las personas han dicho en realidad. Se desanimó. Era eso. Sabía de sobra muchas cosas que no le servían para nada. Salió del texto y apagó el ordenador.

Ducha, blusa, vaqueros, e iría a hablar con Carlos Ventura. Aunque por la tarde tuviese que darse otra ducha, con el calor que hacía seguro que tendría ganas. Él, al menos, hacía cobros rápidos. Ya la había ayudado en el periodismo, también podía ayudarla ahora.

—Yo no soy mucho de almuerzos —dijo él—. Y estoy enfadado por todo esto.

—Después te vienes a casa y echas una siesta. Yo hoy he dormido fatal.

—Ah, de siestas sí que soy. Pásate por el periódico y después nos vamos. Sólo tengo que ordenar mis papeles. Hasta ahora.

Esta vez el ahora fue, de hecho, poco después. Era temprano para almorzar y, por otra parte, a ninguno de los dos le apetecía. Se decidieron por la terraza de la Brasileira, de espaldas al cotilla de Fernando Pessoa, como Carlos Ventura se refería siempre a la estatua, día y noche allí plantada con el afán de escuchar las conversaciones de todo el mundo.

—Tú dirás.

Júlia le explicó lo mejor que pudo su proyecto de novela, habló sobre todo de las dos mujeres, una joven y otra mayor que había desaparecido, ambas sentían la presencia de la otra y habían sido amadas en tiempos diferentes por el mismo hombre. Pero, mientras hablaba, empezó a notar que se extendía demasiado, le pareció que Carlos Ventura comenzaba a removerse incómodo en la silla, cruzando y descruzando las piernas, las manos inquietas tropezando la una con la otra sobre la mesa.

—Es más o menos esto. Dime la verdad. ¿Qué te parece?

A Carlos Ventura no le había desagradado, sólo dudaba de si debía comentar lo que Júlia le había dicho sobre la novela o lo que él creía que podría haber detrás de todo aquello, si debía hablar de literatura o de ella. Decidió que una cosa no excluía la otra.

Comenzó:

—Cuando alguien pide que se le diga la verdad es porque ya sabe que no le va a gustar lo que le van a decir. Y entonces lo mejor es no decirlo. Pero tú lo mereces. Sabes cuánto te respeto. Puede que, en algunas cosas, incluso más de lo que tú te respetas a ti misma.

—¡Ay, Dios mío —dijo Júlia—, a ver qué viene después de un preámbulo así! Anda, continúa. Ánimo.

—Bien, ¿que qué me parece? Pues mira, depende. Si es una historia más de dobles, de esas que andan reciclando por ahí desde que las clonaciones se han puesto otra vez de moda, olvídala, y cuanto antes, mejor. Se te ha metido eso en la cabeza desde el *Hamlet* de Peter Brook. Ves duplicaciones en todo. Si es sobre una joven que acepta ser otra para un hombre de más edad, un hombre que desearía que ella fuese la mujer a la que amó en otro tiempo, entonces es más interesante, pero Teixeira-Gomes ya escribió eso. Si no me equivoco, también con una Júlia y una Marta que se confunden, así que, para colmo, todos opinarían enseguida que se trata de intertextualidad, y eso ya cansa. De hecho, lo que escribió Teixeira-Gomes, a su vez, era una versión del mito de Deméter y de su hija, no me acuerdo ahora del nombre, Flora en la versión latina. Perséfone. Si la novela acaba con una de las dos mujeres supuestamente idénticas matando a la otra, Saramago ya lo ha hecho en versión masculina. A propósito o no, con ecos de Poe y Dostoievski. Si quien mata a una de ellas, o, casualmente, a las dos, es el hombre que las ha confundido, o si a él lo mata una de ellas o lo matan las dos,

por ejemplo, en un trío para excitar al tipo, sería una variante más de la misma variante, con Nabokov uniéndo-
se al grupo. Si al final resulta que la mujer idéntica que
ha desaparecido nunca existió, sino que se trata tan sólo
de una emanación de la mente de la otra o, si no, de la
mente masculina, ese camino ya ha sido transitado por
Sá-Carneiro, y no lo hizo nada mal. Fíjate, los heteróni-
mos del cotilla también son dobles que él iba imaginando mientras empinaba sus copas metafísicas. Placeres
solitarios. Y eso por hablar sólo de la industria nacional.
Entre los productos importados hay un montón de
ejemplos, además de Poe y Dostoievski. Henry James,
Borges, los *doppelgänger* alemanes y la tira de fábulas grie-
gas, empezando por el mito de Eco y Narciso. Y hasta un
tipo al que decidí leer sólo porque el gran Camilo dijo
que no lo había plagiado en *La brasileña de Prazins,* Charles Nodier, que se había especializado en dobles caritati-
vos de mujeres destinadas al sacrificio. Como literatura,
olvídalo. Ya lo han hecho otros. Si tu problema es que te
has quedado impresionada porque, por un momento, tu
doctor José Viana creyese en el aeropuerto de Londres que
tú eras esa tal Marta Bernardo, entonces no transformes
ese tipo de improbabilidad en literatura, no hace falta,
en esas cosas la vida se las arregla muy bien sin tu ayuda.
O, si no, si lo que te apetece de verdad es avanzar sin literatura por la improbabilidad, y si ya has corregido el
cuatro en el pasaporte y en el carné de identidad, vuelve
a Londres y lo resolvéis en la cama. Para escribir no sirve.
Eso me parece a mí, perdóname. Perdona también la clase. Siempre he detestado dar clases. Y mientras no vas a
Londres, ¿nosotros qué? ¿Y esa siesta? Ya sabes que no
soy celoso. ¿Vamos?

Júlia resistía estoicamente. Carlos Ventura apelaba a lo mejor de ella, y por eso ella reaccionaba con lo mejor de sí misma. Sabía que Carlos Ventura tenía algo de razón, pues en cierto modo ella había estado tanteando por ahí. Pero no toda la razón. Habría tenido toda la razón si ella hubiese querido escribir sobre todo eso que él había dicho. Pero, en realidad, no era así. No exactamente. El problema es que no sabía exactamente sobre qué estaba escribiendo.

—Tienes toda la razón —acabó diciendo.

—Yo qué sé si tengo razón. Escribe y después me lo enseñas. De ahora en adelante voy a tener mucho tiempo libre. Sorpréndeme.

—No, tendrías razón si fuese sobre eso. Sólo sobre eso. Sobre dobles. Duplicaciones. El problema es que no sé sobre qué es.

—Ah, entonces ya vamos mejor. En ese caso, escribe y enseguida lo verás. Escribe para ver. Es para lo que sirve. Los escritores que escriben sobre lo que ya saben sólo escriben sobre lo que todo el mundo ya sabía.

Júlia se acordó de lo que José Viana le había dicho al principio de la carta. Sobre restauraciones.

—Tal vez sea sobre restauraciones —dijo.

—Restauraciones.

—Sobre el hecho de que no son posibles. Sobre nosotros, sobre lo que nosotros somos ahora. No lo sé, esperanzas menoscabadas. Cosas que tú a veces también dices en tus crónicas. Lo que estaba implícito en tu última crónica. Pero sobre los dobles tienes toda la razón. Nunca son idénticos. Marta y yo. Sobre que no se sepa si una persona está viva o muerta. Quizá porque mi madre murió hace poco tiempo. Mira, no lo sé. Quizá sólo sea so-

bre mí misma, sobre el hecho de que nunca me ha gustado ser yo. —Sonrió, con un gesto que quitaba importancia a lo que había dicho—. Cuidado, que el cotilla lo está
escuchando todo. Vámonos.

12

Los noes y los síes

Carlos Ventura ya estaba vestido y listo para salir cuando Júlia entró en el salón después de la ducha obligatoria en aquellas ocasiones. Preguntó, envuelta en la bata y secándose aún el pelo:

—Oye, ¿por qué has dicho antes, en la Brasileira, que ibas a tener más tiempo libre?

—¿Aún no lo sabes? Se acabaron las crónicas. Por lo menos durante un tiempo. El director del periódico leyó la última y tuvo miedo de que le pusieran una demanda amparándose en la ley de prensa. A pesar de tu ayuda. Por difamación. Decidió anticiparse para proteger al periódico. Pero no te preocupes, habrá otros periódicos. Tal vez *Visão*, si es necesario rebajaré a la mitad mis honorarios. Vivimos en un régimen plural. Viva la democracia. Está en su derecho democrático.

—Pero ¡es increíble! ¡Después de todos estos años! Claro, por eso me dijiste que estabas enfadado cuando te llamé antes.

—«Mudan los tiempos...», muda Ventura...

—Y yo sin darme cuenta de nada. Pensando sólo en mis cosas. Perdona. Qué vergüenza. Mira, entonces yo también lo dejo. No vuelvo a escribir para ellos.

—Cómo vas a dejarlo. Creo que va a proponerte que te quedes con mi columna. Creo que debes aceptar. Y de vez en cuando me pagas un café y me invitas a una siesta. ¡Hasta ahora!

El caso es que Carlos Ventura no sabía qué iba a hacer con su vida. No era sólo por el dinero, ya había reducido al mínimo sus necesidades y, por tanto, tenía todo lo que le hacía falta. No sabía conducir, de modo que no necesitaba coche, y vivía solo, de modo que lo único que necesitaba era una cama y libros. Incluso compraba pocos libros, los autores y los editores le mandaban más de lo que era capaz de leer con la esperanza de que escribiese un parrafito que contribuyese a aumentar las ventas. Ropa, la misma chaqueta *tweed* y los mismos pantalones de todo el año, demasiado calurosos para el verano, demasiado fríos para el invierno, así que el término medio perfecto. Cuando acababan por aparecer agujeros en las rodillas y en los codos, se compraba unos iguales y tiraba los agujereados. Los actuales eran del año pasado, más o menos de cuando había conocido a Júlia, de modo que tenía ropa para los próximos dos o tres años. Y era verdad lo que le había dicho a Júlia, podría escribir para otros periódicos y revistas. La cuestión no era ésa, la cuestión era si le apetecía. Si en este momento le apetecía algo.

Las restauraciones, por ejemplo. ¿Restaurar qué? Era fácil dar consejos. Entender motivaciones. Decirle a Júlia cómo no debía ser su libro. Entender incluso las intenciones de los demás, las posibilidades de las intenciones. Sugerir soluciones alternativas. Siempre y cuando otro hubiese tenido la idea. Comenzar era otra cosa. No se debía tan sólo al fastidio del periódico. Se sentía desempleado por dentro. Sin una sola idea propia. Tal vez nunca había tenido ninguna. El profesor periodista. O el periodista profesor, que era aún peor. Menos mal que, como mínimo, había llegado a escribir aquel artículo en que mandaba a todo y a todos a la mierda.

La mierda de patria era de momento la idea que menos le apetecía. Nada que restaurar. No creía que hubiese soluciones realmente alternativas, sino, quizá, como mucho, no tan malas como las actuales. Tenía que habituarse a que, indefectiblemente, iba a ser así. La culpa de la mierda actual la tenían los socialistas. La culpa de los socialistas la tenían los comunistas del PREC, que habían asustado al llamado «pueblo unido». La avaricia rompe el saco. Los únicos que se libraron fueron los militares de la revolución, que al menos no quisieron lo que tenían. Y la señora Pintasilgo. Posiblemente porque los otros no la quisieron. Y posiblemente no la quisieron porque lo que ella quería tal vez hubiese sido posible, tal vez hubiese sido viable. Pero mujer, católica, radical y con ideas viables, ni hablar. En todo caso, qué mierda de país era éste, en el que una especie de monja y el ejército entrenado en el tiro al negro eran los mejores. Lo habían sido. Ya no quedaban ni de ésos.

¿Aceptaría Júlia la propuesta del periódico? Él tuvo que decirle que sí, que debía aceptar. Para que actuase a sus anchas, para que no creyera que a él le importaba. De hecho, era una buena oportunidad profesional, ella se lo merecía. Aunque merecía mucho más que eso. Merecía no querer aceptar, merecía creer que no podía aceptar. Preferir no hacer carrera. No por una cuestión de solidaridad o de camaradería en relación con él, por el apoyo que en otras ocasiones le había prestado, sino por ella misma. Pero tal vez aún fuese muy joven, aún no había aprendido a decir no simplemente porque no. No había aprendido que decir no es siempre mucho más importante que decir sí. Saber lo que no se puede querer. Reconocer a tiempo cuáles son los noes que hace falta decir. Después, con suerte, los síes posibles se organizan solos, no necesitan nuestra ayuda. Lo peor es cuando no hay un sí alternativo, un sí posible en el reverso del no. Cuando entre los noes y los síes sólo hay un qué más da.

Aún tenía que pasar por el periódico e ir a buscar los papeles que estaba ordenando cuando Júlia le telefoneó. Al menos disfrutó de la siesta. Estaba loca de atar, aquella chica. Algunas ideas interesantes. Tal vez llegara incluso a escribir algo decente. Al menos eso, al menos ella.

13
El columpio

El secretario general del Ministerio citó a Duarte Fróis. Le interesaba Londres, ¿verdad? De hecho, allí les faltaba personal y el nuevo ministro, un hombre de la casa, parecía dispuesto a resolver el problema, que arrastraban desde hacía meses. Entonces de acuerdo, lo propondría a él cuando se iniciasen los trámites correspondientes. Su padre había hablado con él, podía estar tranquilo, haría lo que pudiese. No era seguro, pero tal vez lo consiguiese.

Duarte no esperó a la resolución y se lo dijo a Júlia cuando se encontraron en la librería Bertrand al atardecer.

—¿Nos casamos? ¿Te vienes a Londres conmigo?

—Ay, Duarte, no lo estropees todo. Era un «si fuera». ¿No ves que no puede ser, que nosotros no podemos casarnos?

—Pero, Júlia, ¡me lo prometiste!

—¿No ves que lo estropearía todo? Tú eres mi hermanito. Mi hermanita. Casarnos era sólo un «si fuera», deberías haberlo entendido.

Duarte no lo había entendido, y sabía que le llevaría algún tiempo entenderlo. No era tanto lo que Júlia le había dicho, eso le había dolido, sí, pero ya otras veces le había dicho cosas mucho peores, ella ni siquiera se mostraba hostil. Pero Duarte se había dado cuenta, y eso es lo que no entendía, se había dado cuenta de repente de que ella tenía razón. Que, de hecho, no era posible que él y Júlia estuviesen juntos. Que con el tiempo él incluso podría llegar a sentir un cierto alivio. No ahora, no tan pronto, sino después, más tarde. No entendía que hubiese podido darse cuenta de eso y que, al mismo tiempo, se sintiese tan rechazado, tan pillado por sorpresa. Al mismo tiempo, sentía que aquél era el final de su juventud. No, no lo era en absoluto, estaba dramatizando. Pero era decir un adiós definitivo a su infancia, eso sí. No, tampoco, pero qué infancia, a la edad de ellos. Como mucho, era decir adiós a la memoria de la infancia que habían compartido. Que no era poco. Las vacaciones de verano acabaron para siempre ese día.

Con la salvedad de que ella aún podía cambiar de idea, claro. Pero, francamente, ¿qué podría haber hecho Júlia en Londres, casada con él? ¿Corresponsal de un periódico? Si el embajador lo permitiese. Podía presentar alguna objeción. Le costaba mucho verla sólo como mujer de un diplomático. No respondía exactamente al prototipo de esposa de un diplomático de carrera. Habría podido serlo, a pesar del escándalo protagonizado por su madre, afortunadamente en eso los tiempos habían cambiado. Pero ya no podía ser una prototípica esposa de diplomático, se había vuelto imprevisible. Pero podría ser la mujer de diplomático que escribe novelas en sus ratos libres. Tal vez eso no habría sido imposible. Por lo menos que acabase la novela que unas veces decía que estaba escribiendo y otras que no. Eso si la novela no era otro «si fuera». Un «si fuera» de otro «si fuera». En el fondo, Júlia sólo inventaba enredos para poder participar de los enredos que inventaba. Su talento era ése. Para eso no necesitaba escribir. Escribir hasta podía ser un estorbo.

Estaba claro que continuarían siendo amigos. Ella iría a Londres a visitarlo, hasta podría quedarse en su casa, Duarte conseguiría un apartamento agradable, con habitación de invitados. Nadie se fijaría en eso, eran amigos de la infancia, hoy en día es normal, a los colegas incluso les gustaría conocerla. Teatro, ópera, museos. Estaba aquel maravilloso Fragonard, en la Wallace Collection, de la muchacha que se eleva en el columpio y un zapatito se le sale del pie, mientras un muchacho, en un rincón, observa la escena. Había pensado en Júlia cuando vio el cuadro por primera vez. Ella como la niña del columpio y él mirando. Fue antes de que ambos se hubiesen reencontrado en Lisboa, una vez en que él había viajado a Londres desde Viena. Le había hecho pensar en ella, en los dos cuando eran pequeños, en el columpio del jardín. Excepto que los del cuadro no tenían nada de pequeños. Es verdad, pero ellos tampoco. Nunca se lo había dicho, se le había olvidado. Sería divertido ver la reacción de ella. Sí, claro, nunca dejaría de ser amigo de Júlia. ¡Las cosas en que ella pensaba! ¡Las cosas que ella le había hecho hacer!

¿Y ese tal doctor Viana, en Londres? No es que pretendiese trabar relación con él, un abogado de inmigrantes no tenía nada que ver con su mundo. Pero sentía curiosidad por verlo, tal vez en una recepción en la embajada o algo así. Los mencionados ojos de inquisidor. Y después telefonearía a Júlia y se lo contaría, para reírse los dos.

Todo esto si se marchaba realmente a Londres, aún no era del todo seguro. Por eso no le había sugerido a Júlia que fuesen a cenar, como habitualmente habría hecho, para demostrarle que ella no le había hecho daño, que intentaría entender. Pero se había citado con ella en la Bertrand sólo para contarle lo de Londres, antes de reunirse con su padre. Ya había quedado en cenar con su padre y con el pesado de su hermano, cada vez más un empresario enganchado a su móvil. Pretendía que su padre volviese a hablar de él al secretario general, como quien ya agradece el gesto, para alentarlo. Qué diablos, también tenía que pensar en su carrera.

La cena iba a ser en el Gambrinus. Fue él quien lo sugirió, en homenaje secreto a Júlia. Pero sin ella sería melancólico. Qué se le iba a hacer. Tenía que acostumbrarse.

14
Relatos

José Viana decidió que al final no ordenaría ningún papel, sino que simplemente tiraría a la basura todos aquellos cachivaches. De ahora en adelante, las cajas de vino sólo contendrían botellas llenas de vino.

A partir de esa decisión fundamental, otras se sucederían de forma natural. Sólo era cuestión de organizar los relatos adecuados a las posibles alternativas. Cogió un papel, trazó una raya vertical en el medio, dos columnas. Escribió en el extremo superior izquierdo: despedir a la secretaria. En el extremo superior derecho: casarse con la secretaria. Después, a la izquierda: vender el apartamento. A la derecha: comprar un perro. A la izquierda: dejar la abogacía. A la derecha: vivir de las rentas. Izquierda: afiliarse a los Renovadores. Derecha: dejar de follar. Izquierda: Júlia. Derecha: un tiro en la cabeza.

Antes, cuando hacía el amor con la secretaria, siempre sentía que lo estaban violando. Que estaba traicionando a Marta, pero no sólo eso. Con otras era diferente, no querían nada de él, ellas no estaban allí para servirle, él no estaba traicionando a nadie, era sólo un polvo mutuo, un toma y daca, intercambio de iguales, violencias consentidas aun cuando hubiese violencia, la desesperación de un cuerpo sin amor. Pero con la secretaria, Lisa Costa, Miss Costa, se dio cuenta de que los hombres también podían ser violados por las mujeres, no sólo las mujeres por los hombres o los hombres por otros hombres. Que ser violado no significaba necesariamente ser víctima pasiva o, ni siquiera, reacia a lo que, sin embargo, no dejaba de ser una violencia inoportuna, una agresión abusiva. Los mecanismos de la sexualidad masculina podían funcionar como siempre, incluso los obtusos instrumentos podían llegar a convencerse, durante el llamado acto, de que la idea había sido de ellos, la biología les pagaba para eso, sólo estaban siendo buenos profesionales que cumplen con su obligación, como los abogados, como él se había entrenado para serlo en los procesos judiciales. Lo peor era el antes y el después, sobre todo el después. Era asombroso cómo los mismos actos podían ser sórdidos o sublimes. Pero tampoco había que exagerar, no era obligatorio que fuesen ni sórdidos ni sublimes, sino solamente físicos, y eso tenía que bastar. Sexo. Sólo sexo. Nada en contra, era eso y no podía ser otra cosa. No valía la pena ser tan obsesivo. De hecho, era grotesco, a su edad. Y, no obstante, si había amor, era como entrar en el paraíso, experimentar el sabor de las mareas en el *pays qui te ressemble*. Pero eso había sido en otro tiempo, en otro país.

Ya se había olvidado de cómo había sido amar a Marta. No, peor. No había conseguido olvidarse de cómo había sido amar a Marta. Y sabía que continuaría siendo así, fornicaría como pudiese y con quien pudiese, entre el olvido y el no conseguir olvidar. Había tenido toda la razón en lo que le dijo a Júlia, en lo que le escribió en la carta. Que era mejor que no volvieran a verse. Mejor no sería, pero así debía ser.

Se había despertado sintiendo que esa noche casi había tenido uno de sus sueños recurrentes. O, si no, el nuevo, el de Marta y Júlia, y él convertido en piedra. Si fue alguno de los otros sueños, habría preferido el del Wig & Pen, con sus padres, para ver si en esta ocasión llegaba a tiempo. Era lo que alguna vez tenía que ocurrir. Pero no se acordaba de haber soñado, sólo había tenido, cuando se despertó, una sensación parecida a la que experimentaba después de tener un sueño.

En todo caso, el sueño de Marta y Júlia ya estaba solucionado, posiblemente nunca más tendría que soñarlo. En realidad, en el sueño las dos mujeres no habían sido hostiles la una con la otra. El relato del sueño no era ése, sino el de que él debía aceptar que Marta estaba muerta, no se trataba de que Júlia hubiese usurpado su lugar. Ésa no fue la causa de la angustia que sintió entonces, aún no conocía bien a Júlia, en aquel momento no lo entendió. La causa de su angustia fue no haber entendido que el sueño trataba de la liberación de Marta por parte de Júlia. La razón del cuerpo de piedra era ésa, Marta estaba allí presa, tenía que salir.

José Viana se dio cuenta, no obstante, de que ahora estaba haciendo una interpretación retrospectiva, que cuando tuvo el sueño no hubiera podido entenderlo así, que el relato no hubiera podido ser éste. Y de que la propia Júlia, en la carta, estaba suponiendo lo contrario, que para él las dos eran la misma. Fue como si Júlia estuviese comentando el sueño, como si hubiese participado en él y que también lo hubiese soñado, cuando escribió: «Como si usted ya me hubiese conocido a través de ella». Extraña muchacha, que sabía más de lo que podía saber. Pero tal vez las dos interpretaciones no eran tan incompatibles, la de entonces y la de ahora. Y tal vez tampoco eran relatos incompatibles que Júlia hubiese imaginado

que era Marta, por un lado, y que ahora él imaginase a Júlia sin Marta, por otro.

Cogió de nuevo el papel con las dos columnas. Hizo
más grueso el trazo vertical del medio, a partir de ese trazo completó rápidamente el dibujo de un árbol, con la
mano diestra de antaño. Iba a arrugar el papel y tirarlo a
la papelera, pero decidió doblarlo en cuatro y se lo guardó en el bolsillo de la chaqueta. Telefoneó para pedir un
taxi.

Bajó, esperó delante de la puerta de la calle, se dirigió
al despacho.

15
La confesión

Miss Lisa Costa estaba esperando a José Viana en el despacho con una expresión grave. Dijo que el doctor se había dejado sobre la mesa una copia del informe de Júlia de Sousa, ella había ido a poner orden, así que para poder colocarlo en su lugar tuvo que ver lo que era, le pedía disculpas, esperaba no haber actuado mal. Mosquita muerta. Él respondió que no, que no tenía la menor importancia, pero que no hacía falta colocar nada en su lugar, que, como ya se habría dado cuenta, no era un asunto profesional, que dejase todo como estaba, ya se ocuparía él de eso. Pero no consiguió resolver el problema. Miss Costa permanecía de pie frente a él, que ya había tomado asiento, teléfono en mano, para dar a entender que tenía asuntos más importantes que tratar. Ella dejó claro que no podía tener asuntos más importantes, que aquél era prioritario.

José Viana colgó el teléfono:

—Bien. Entonces siéntese, Lisa. Dígame.

—Es todo mentira.

—¿El qué?

—Eso que está ahí —dijo cogiendo los papeles y señalándolos—: esto. Es todo mentira.

José Viana no entendía. ¿Qué era mentira? ¿Júlia de Sousa? Era evidente que la situación iba a desembocar en una inusitada escena de celos en el despacho. ¿Era mentira lo que Júlia decía en la carta, en el informe? ¿Qué era mentira, de todo lo que ella decía?

—Dígame, Lisa, ¿qué es mentira? ¿Cómo lo sabe?

Lisa Costa, de repente, sin contener el llanto, soltó:

—Porque no puedo más. Porque no puedo seguir así. Vas a acabar odiándome —tratándolo de tú, como durante las intimidades lejanas con el doctor, desde entonces nunca mencionadas—. Porque prefiero morirme —y con un reiterado bilingüismo, para dar un mayor énfasis, añadió—: *I want to die! After all these years*. Después de todos estos años, toda mi vida. ¡Los mejores años de mi vida! *All for nothing*, todo para nada.

—Escuche, Lisa...

—No, escúcheme usted. Ya que quiere saberlo todo, sépalo todo entonces. Quien lo sabe todo soy yo. Yo sé muy bien lo que ésta pretende. Ésta quiere lo que yo ya no tengo. Lo que yo nunca tuve. *What you never gave me. Your love. Your respect. I want to die!*

—Ay, mujer, ¿por qué quiere usted morirse? Y si quiere morirse..., pues muérase de una vez. Pero, dígame, ¿qué es lo que usted sabe? ¿De qué está hablando?

De Marta Bernardo. La sufridora Lisa Costa estaba hablando de Marta Bernardo. Y también de Júlia de Sousa. Le decía a José Viana que iba a decirle lo que nunca le había dicho. Él percibía en ella una imparable determinación suicida de resentimientos acumulados. Ella se sentía amenazada por aquella carta, temía que su lugar en la vida de él fuese usurpado por esa tal Júlia de Sousa hasta entonces insospechada. Que incluso se jactaba de ser parecida a la odiada Marta Bernardo. A quien José Viana le había dicho, obviamente, que era igual a aquella fantasmagórica otra que le había destrozado la vida. Así, necesitaba desacreditarla, costara lo que costase. Decía, por tanto, que ahora iba a decirlo todo, que iba a probar que nada de lo que esa falsa nueva Marta decía podía ser verdad, porque ella era la que lo sabía todo. La prueba era lo que iba a contar. La confesión que le iba a hacer.

Entonces José Viana le escuchó decir, entre sollozos y acusaciones de ingratitud intercaladas con quejumbres conciliadoras, que hacía tiempo le había dicho una pequeña mentira, ni eso, que sólo había cometido una pequeña omisión, no había sido más que un malentendido, ahora estaba arrepentida, que la perdonase si podía, si todos aquellos años de abnegada lealtad aún tenían algún valor.

Y de hecho, en esencia, lo que le contó a José Viana no sería tan grave como ciertos casos que él había defendido, u otros casos cuyas preguntas y respuestas respectivas ella misma había traducido cuando trabajaba para la policía, lo que él fue entendiendo gradualmente, ni siquiera indignado, ni siquiera incrédulo, sólo con una vaga náusea que le contraía el estómago, de hecho ni siquiera llegaba a ser un engaño, que, en realidad, era lo que ella le había dicho, sólo una pequeña mentira, una simple omisión, únicamente una historia de pequeño egoísmo sórdido, de pequeña maldad mezquina que ni llegaba a serlo, de quien hace un mal mayor del que tiene la capacidad de hacer, queriendo solamente lo poco que puede y que desea, amando como podía, como él la había dejado amar, casi treinta años antes, en el verano de 1975, poco después de haber comenzado a trabajar para él, cuando ella aún imaginaba que podía esperar de él la entrega que tanto había deseado.

Lo que Lisa Costa confesó fue que hubo una carta de Marta Bernardo. Encaminada por el doctor Sereno a su despacho, con una misiva que decía que no hacía falta respuesta. Lisa Costa sabía que el doctor Sereno era el representante del PCP en Londres. Sabía quién era Marta Bernardo, lo que ella había significado para José Viana. Entendió lo que aquello significaba. Que iba a ser el fin de su felicidad. De la ilusión en la que vivía. Destruyó la carta sin leerla. Con miedo a leerla, a acabar sabiendo dónde estaba esa mujer. Después permaneció a la espera de las consecuencias. Hasta ahora. Demasiado tarde para todos, ahora que le estaba diciendo la verdad. Por tanto, lo que ahora le decía la mujer de esta carta era todo mentira. Todo aquello que contaba sobre la muerte de la otra no podía ser verdad, que la disculpase si aún era posible, *kill me if you want,* su vida había acabado hacía mucho, *I'm dead already, long dead,* nunca había comenzado a vivir siquiera, pero al menos ahora él lo sabía todo, la culpa no era de ella, la culpa la tenían todas las humillaciones que él le había hecho pasar, la había usado y despreciado como si fuese una prostituta, a ella, que le había concedido todos los caprichos, y al final para nada, ella que había permitido que le hiciese todas las canalladas que quisiese, y que no le negó nada, pero al menos ahora él sabía que Marta, aquella mujer que tanto la había atormentado, no murió cuando esa tal Júlia de Sousa decía que había muerto, ni de la manera que ésta decía que había muerto, y que él incluso habría podido vivir con ella todos estos años, si ella lo hubiese permitido.

Miss Lisa Costa concluía su confesión, por tanto, con una nota disonante de rabia vengativa.

José Viana la había dejado hablar sin interrumpirla.

Pero como ella se detuvo de repente, dándose cuenta de la magnitud de lo que acababa de decir, asustada por el silencio de él, mirándolo, aun así, con expectantes ojos enrojecidos por las lágrimas, el pañuelo sobre la boca y la nariz entumecidas, él dijo simplemente, con una voz serena que la humilló más que si la hubiera insultado, que la atemorizó más que si la hubiese agredido, como tal vez ella esperaba o deseaba:

—Miss Costa, venga a buscar sus cosas cuando yo no esté en el despacho. Evidentemente, seguirá recibiendo su sueldo durante los meses previstos por la legislación laboral vigente. Ahora le agradecería que se retirase.

Poco después, José Viana telefoneó a un colega portugués a quien, a lo largo de los años, había subrogado en algunos procesos menos interesantes, cuando estaba demasiado ocupado. Le sugirió que se encontrasen lo más pronto posible, sí, hoy mismo, si era posible ahora, podía reunirse con él dentro de veinte minutos, quería hacerle una propuesta profesional que tal vez le pareciese interesante.

La propuesta, que el colega aceptó al instante, con tanta sorpresa como entusiasmo, diciendo enseguida, para que José Viana no cambiase de idea, que los detalles económicos de la transacción, sujetos a un análisis independiente, podían dejarlos para después, fue traspasarle todo lo que había en su despacho de abogado: casos pendientes, el personal que quisiera, mobiliario, contactos profesionales, los siete años que aún le quedaban del alquiler de renta antigua del tercer piso del edificio situado en Aldwych.

—Pero ¿entonces va a regresar a Portugal? Palabra que nunca lo hubiera imaginado. Sólo le digo que Londres no va a ser lo mismo sin usted, sentiremos mucho su falta. Pero supongo que la edad nos llega a todos, lo comprendo perfectamente.

No comprendía nada en absoluto, aquel grandísimo idiota que lo llamaba viejo, pero eso José Viana lo pensó y no se lo dijo.

Al día siguiente pondría el apartamento en venta y estaría todo resuelto, sería un hombre libre.

La verdad es que hacía mucho que no se sentía tan bien, con tanta energía, tan joven, tan activo. Como había previsto, haberse desembarazado de la secretaria había sido el comienzo, el catalizador de todo lo demás. Ahora sólo debía pensar en cómo viviría el resto de su vida, decidir cuál iba a ser el relato de su vida a partir de entonces.

Comenzó con un inusitado paseo a pie a lo largo del Támesis, allí al lado, a dos pasos de Aldwych y de los Royal Courts of Justice. Hacía ya años que no iba a ver el río, años en que lo había mirado sin verlo. Hasta la gran noria que ahora dominaba el horizonte sólo la había avistado de lejos, desde el interior de un taxi o de su propio coche. Incluso era bonita, favorecía al río.

Se acordó de que también había un nuevo puente de peatones que construyeron para dar acceso a la Tate Modern, el que tuvieron que cerrar porque se balanceaba, ya puestos iría a verlo, había leído que lo habían abierto de nuevo al público, tal vez hasta se acercase a ver el museo, tampoco había ido todavía. Apoyado en el parapeto, se inclinó sobre el río, mirando hacia la izquierda para medir la distancia, ponderó que tal vez fuese demasiado lejos para ir a pie. Pero en ese momento le pareció que había algo extraño en el propio río, aquel color no era normal, tuvo una sensación desagradable sin saber por qué. Después se acordó. Se habían producido lluvias e inundaciones, los periódicos dijeron que habían rebosado las alcantarillas de emergencia, habían arrojado al río todas las heces de la ciudad, nueve millones de intestinos desbloqueados al mismo tiempo, una mortandad de peces flotando, los pájaros enloquecidos por la venenosa bazofia.

No. Río siniestro. Tomaría un taxi, se marcharía a casa.

Está claro que no había creído en lo más mínimo la historia de la secretaria, de la grotesca Miss Costa. Se le antojaba increíble que alguna vez hubiese llegado a follársela. Estaba claro que, si realmente Marta le hubiese escrito en 1975 y no hubiese obtenido respuesta, habría intentado ponerse en contacto con él de nuevo. O el propio doctor Sereno, a pesar de todas sus reservas ideológicas. O Fernando Martins, desde Lisboa. Desdichada Miss Costa, que dijo haber rasgado la carta sin leerla. No tenía imaginación ni para mentir. Como si leerla no hubiese sido precisamente lo primero que hizo, revolcándose en su propia inmundicia.

Tal vez no fue siempre así, como se había vuelto. Tal vez hubiese podido llegar a ser diferente. ¿Era culpa de él? Tal vez, aceptaba que tal vez, pero no sólo era culpa de él. Y encima se había pasado treinta años intentando cobrarse unos pocos polvos. Y culminaba ahora en esto. En la invención de la carta. Para que él creyese que, si había habido una carta, que si Marta estaba viva en 1975, Júlia de Sousa le había mentido. Obviamente, ése era el único propósito de aquella confesión estúpida. De embustera imbécil. La proverbial astucia palurda. Pero ¿para qué? ¿Cómo pretendía que él creyese aquello? ¿Y por qué iba a mentirle Júlia? ¿Con qué propósito? ¿Con qué beneficio?

Debería haber una regla absoluta, una nueva ley en el código penal de las relaciones humanas: la prescripción judicial de los polvos equivocados. Mejor aún, una ley que los hiciese desaparecer. Eso, como si nunca hubieran ocurrido. Que prescribiesen al cabo de dos años, por ejemplo. Disculpe, señora, pero ese polvo ya ha prescrito. No ha ocurrido. Y aquí paz y después gloria.

Extrañamente, aquella sórdida invención de la carta hizo que aceptase por primera vez los hechos narrados por Júlia. Las circunstancias de la muerte de Marta. Conmoción aplazada, ya lo había previsto. No es que hubiese dudado por algún momento de su veracidad, aunque la propia Júlia hubiese dejado varias posibilidades abiertas. Pero incluso eso reforzaba la plausibilidad de que hubiese ocurrido más o menos como lo contó, como le dijeron. Lo cierto es que, por primera vez, se sentía autorizado a aceptar que Marta había muerto. No sólo a temer esa posibilidad, como durante tantos años, o a hacer suposiciones, o a tener que seguir viviendo como si aceptase que ella estaba muerta. Porque gracias a Júlia supo finalmente cómo había sido, por muy terrible que hubiese sido. Sentía que finalmente podía permitir que Marta muriese también dentro de sí mismo. No para olvidarla, no se trataba de eso, sino para poder celebrarla. Para darle dentro de sí el funeral que los dos necesitaban que hubiese habido. Para finalmente poder dejarla descansar. Para no continuar con esa especie de alma en pena sufriendo dentro de sí. Entendió también por qué se había despertado con la sensación de que esa noche había tenido uno de sus sueños recurrentes, por qué razón se había acordado otra vez del sueño sobre Marta y Júlia, sobre su propio cuerpo transformado en piedra.

Y entendió una cosa más: que la sordidez puede a veces ser una purga. Puede hacer que rebosen las alcantarillas. La sordidez de aquella invención de la patética Miss Costa había tenido el propósito de destruirlo, de contaminar su memoria de Marta, de matar todo en derredor. Contaminar también a Júlia. Pero Júlia ya había purificado su memoria de Marta. Le estaba agradecido. Entendió que era libre.

Por eso podía finalmente volver a Portugal. Había sido un largo destierro, un largo viaje, una peligrosa peregrinación. Podía volver con Renovadores o sin ellos. Ciertamente, sin Júlia de Sousa. ¿Qué podía querer de él una joven como ella? Sólo le daría las gracias. Si fuera posible, se harían amigos. Iría a visitar con ella la plaza del Príncipe Real, el cedro que no era un cedro sino un ciprés que celebraba la vida. Tal vez iría con ella a ver a la vieja vecina de Setúbal, al viejo jardinero. Para celebrar a Marta con Júlia. Júlia le había devuelto a la Marta que había perdido. Por eso ahora también podía celebrar a Júlia. Podían ser amigos. Sólo amigos. Nunca había habido una mujer de quien hubiese sido amigo, sólo amigo. Ni de Marta. Marta era el amor, era otra cosa. Marta era aquella a la que nunca debería haber dejado para que nunca nadie hubiese podido herirla otra vez. Era su novia, su chica, y nunca debería haber muerto como murió. Ella era su remordimiento, la culpa con la que finalmente podía seguir viviendo.

José Viana también entendió que, por primera vez en muchos años, tenía los ojos llenos de lágrimas. Que no iba a evitarlas. Se acordó, por el contrario, de que justamente había conocido a Marta cuando lloraron juntos en el cine, viendo *Les visiteurs du soir*. Y entonces, de repente, desbloqueado por ese recuerdo, logró visualizar entre las lágrimas de ahora la imagen de Marta en aquel tiempo. Como en una fotografía. Marta Bernardo. No como Júlia de Sousa era ahora, tampoco como la Marta de después de muerta, no con el rostro ensangrentado como Júlia había contado, sino muy serena, sus ojos puestos en los ojos de él, una sonrisa aún flotando en los labios entreabiertos, respirando feliz como cuando se dormía a su lado después de que ambos se hubiesen amado toda la noche, con amor, con ternura, sin violencia, ella ya sin recordar que alguna vez le habían hecho daño.

Y así, por primera vez desde la muerte de Marta, desde la carta de Júlia, desde que Júlia le dijera que Marta estaba muerta, José Viana pudo dejar que las lágrimas corriesen libremente, apaciguado.

16
La última crónica

Hay momentos en la vida en que lo único que se puede hacer es ir a la peluquería y comprarse ropa. Júlia estaba en uno de esos momentos. Cabello, uñas, depilación, y el resto del día, de tiendas. Había dos o tres en el Bairro Alto y en la Avenida da Liberdade, cerca de la peluquería, que tenían siempre algunas nimiedades que surtían el efecto deseado.

El efecto, en este caso, era que ella no tuviese que reconocer, más de lo que ya lo había hecho, que últimamente no paraba de hacer disparates. La idea le había venido así, de repente, después de que, la víspera por la tarde, el probo Carlos Ventura le dijese que lo habían despedido y ella, quizá de rebote, dejase poco después al amoroso de Duarte en la librería Bertrand con cara de despedido. Pero no era sólo por eso, por fastidioso que fuese. Era porque después se había puesto a cavilar sobre la vida y los amores, y de repente entendió la magnitud de lo que había hecho, de lo que estaba haciendo. Ella, que, para colmo, había criticado lo peor del periodismo practicado en Portugal. Que también había criticado al propio José Viana. Y que ahora se comportaba peor que todos ellos. Con un supuesto informe de los hechos. En el que inventaba la muerte de una mujer. En el que le decía a un hombre que había amado a esa mujer que ella había muerto. El cómo y el cuándo. De una manera bárbara. Con pormenores. Personas que no tenían nada que ver con ella. Una mujer a la que nunca había conocido, un hombre que no le caía ni bien ni mal, lo encontraba simpático pero apenas lo conocía, lo había visto dos veces. Loca, Duarte ya se lo había dicho. Irresponsable. No en el sentido de loca de atar, como decía Carlos Ventura, sino en el de enajenada sin gracia alguna.

¿Para qué mentir? Pongamos por caso que el doctor José Viana viniese a Lisboa para conocer a la vieja de Setúbal y al viejo de la residencia. Que fuese al Príncipe Real a hacerle preguntas al jardinero que realmente trabaja allí. O, aún más complicado, que se le presentase en la puerta con la bragueta abierta y silbando el vals del viudo. Bueno, esa complicación se resolvería fácilmente, de hecho las complicaciones de cama nunca eran tan complicadas. Y seguro que el hombre no iría después a ver al padre de ella para agradecerle que le hubiese ofrecido a la hija cuando le dio a ésta su número de teléfono. Y tampoco era muy probable que después fuese por ahí jactándose de haberse quedado con los codos excoriados para no aplastarla con su peso.

No, en serio, lo que había hecho no sólo había sido irresponsable, sino, además, cruel. No había pensado que pudiera serlo, no lo había hecho a propósito. Como siempre, Carlos Ventura tenía razón. Si ella se obstinaba en ser la otra, lo que tenía que hacer era meterse en un avión e ir a Londres a resolver el asunto en la cama con el hombre de la otra. No tenía por qué torturarlo con sus ficciones. Ni decirle que se sentía como si él ya la hubiese conocido a través de la mujer a la que había amado y perdido, u otras cursilerías por el estilo. El resto estaba bien, que ella hubiese querido imaginar lo que había ocurrido, incluso que hubiese querido sentirse como si fuese la otra. Eso era normal, lo hacía únicamente para poder escribir. Pero no debería haberlo hecho para decírselo a él, para escribírselo a él. Lo que ahora no entendía era por qué había hecho eso.

¿Debía escribirle confesándole la verdad? Estimado doctor, disculpe la torpeza, pero cuando le conté que la PIDE había matado de una paliza a su bienamada en el Príncipe Real, sólo estaba jugando al «si fuera». Pobre hombre. Cómo se habría sentido después de superar la conmoción inicial. Cómo se sentiría estaría ahora. La respuesta de José Viana había sido escrita en un estado de choque, era evidente, en aquel momento a ella le había parecido una reacción extraña, pero ahora entendía que tenía todo el sentido del mundo. Que hubiese respondido hablando de otras cosas. De su pasado político. De restauraciones.

En todo caso, sería interesante saber cómo asimiló después la información sobre la manera en que Marta Bernardo había muerto, cómo se enfrentó al sentimiento de culpa que no podía dejar de sentir por haberla abandonado, por haberse salvado él y que Marta hubiese muerto de aquella manera. Ya estaba a vueltas con lo mismo. Pensando como si hubiese ocurrido. En fin, ya está, había hecho que ocurriera, no podía dar marcha atrás, sería mucho peor. O ni peor ni mejor, sino que sería otra historia.

Como, por cierto, decía Carlos Ventura que era siempre la Historia, con hache mayúscula. Que era siempre otra historia. Había sido el tema de una de sus crónicas recientes, que anunciaba, ahora se entendía, su fatídica última crónica. Cómo la historia de los otros se convierte siempre en una historia de los que no tienen nada que ver con ella. El título era «Los aztecas no tienen Historia». Pero la crónica no hablaba sólo de que los pueblos dominados dejaban de tener una Historia propia porque pasaban a formar parte tan sólo de la Historia de los dominadores, sino que la principal intención de Carlos Ventura había sido ridiculizar lo que consideraba la creciente neutralización del papel de los militares en el 25 de Abril. Las reinterpretaciones instituidas como poder. Y esto a propósito de que ahora fuesen por ahí escribiendo que ni siquiera había habido una revolución. Que, a fin de cuentas, todo había formado parte solamente de una inevitable evolución que sólo podría haber derivado en la autosatisfecha inanidad del estado actual en el que finalmente ha derivado. Y, por tanto, como al final resultaba que los militares que hicieron la revolución no habían hecho revolución alguna, la Historia demostraba que el 25 de Abril no había sido más que una especie de almuerzo de confraternización en el que los líderes actuales aún no estaban presentes pero era como si lo estuviesen, con brindis de desagravio a Salazar y a Caetano a la hora de los postres. Todo con la ironía típica de su estilo, pero esta vez con más acritud.

Ésa era la parte política de la crónica. Carlos Ventura, no obstante, funcionaba siempre en varios niveles. Y lo que a Júlia le parecía ahora más interesante eran sus consideraciones finales sobre los procesos que llevan a la transformación del deseo en memoria. En definitiva, ése era el proceso que ella misma estaba viviendo, y debía entender eso. La usurpación de la memoria de los otros, como había hecho con José Viana.

—Oiga, Manuela, dígame —le preguntó de improviso a la eximia peluquera que se ocupaba de ella en el instituto de belleza Ayer—: cuando usted quiere mucho una cosa que sabe que no está a su alcance, ¿no piensa a veces que esa cosa ya ha ocurrido para poder acordarse de ella? ¿Como si la hubiera hecho? ¿Como si hubiera ocurrido?

Manuela se jactaba de ser la única mujer instruida por el célebre peluquero Victor Hugo y de saberlo todo sobre la vida y los amores, ambas cosas expuestas siempre una detrás de la otra, aunque ciertamente ese hecho no reflejase una improbable relación entre ellas, sino, tal vez, simultáneos aprendizajes de juventud. Era, por tanto, la consejera ideal en tales circunstancias. Exactamente lo que necesitaba: alma y cabello.

—Mire, señora licenciada —Júlia ya había insistido en que la llamase sólo por su nombre, pero Manuela no conseguía acostumbrarse, así que se había decidido por esa forma de compromiso, «señora licenciada», que pronunciaba con un tono de quien no habla totalmente en serio—, lo que yo creo es que siempre es mejor hacer algo que no hacerlo. El no hacer, eso sí que no tiene remedio. Y trae malos recuerdos.

—¿Y usted nunca se ha arrepentido de nada de lo que ha hecho?

—Vamos, señora licenciada, ¿qué me dice? ¿Usted arrepintiéndose de sus amores? ¿Con esa cara? ¿Con ese tipito? ¡Qué desperdicio! ¿Y por qué? ¿Es un hombre casado? ¡Eso ya no se lleva, ahora nadie se arrepiente de esas cosas!

—No, no hay ningún hombre —se rió Júlia—. Se lo voy a decir. De momento hay tres, que es como si no hubiese ninguno. Uno cree que yo quiero ser otra. A otro le hago creer que él quiere ser otro. Y el mejor de los tres no quiere ser nada. Pero con ése a veces me gustaría ser como a él le gustaría que yo fuese. Es el más feo de los tres y se lava poco.

—Ah, entonces ya no sé qué decirle.

Sí, ni ella.

En todo caso, le sentó bien pasar un par de horas en la Ayer, dejando que le hiciesen todo. En fin, casi todo. Manuela tenía allí a la brasileña de las depilaciones, que se quedó frustradísima cuando Júlia le dijo que le depilase las piernas y las axilas, pero que el pubis lo dejase como estaba:

—Voy a dejar que me crezca. Ya es hora.

Después todavía entró en la tienda de Armani, cerca de allí, pero al final decidió que ya no le apetecía comprar ropa. Lo que sí pensaba hacer era acercarse al periódico, para saber cómo habían reaccionado los colegas al despido de Carlos Ventura.

Que no era ni así ni asá. Al contrario, le dieron enseguida la enhorabuena por la nueva columna que el director ya le había dicho al jefe de redacción que le ofreciese, en el espacio prominente que antes ocupaba la crónica semanal de Carlos Ventura.

Se sorprendieron cuando ella habló vagamente de falta de tiempo, mencionó un vago proyecto de novela que tenía entre manos y dijo que iba a pensar si aceptaría o no. Salió en cuanto pudo, para evitar que entendiesen lo que iba a pensar y por qué. Si no lo entendían por sí solos, no valía la pena intentar explicárselo, nunca lo entenderían.

La verdad, no obstante, es que la propia Júlia no sabía exactamente por qué estaba dudando. De hecho, la oportunidad profesional era muy buena. En cuanto a razones de lealtad, Carlos Ventura ya le había dado carta blanca, y no estaba siendo insincero, con ella nunca lo habría sido, no era, por tanto, una cuestión de ética profesional. Si ella no escribía la columna, se la darían a otro periodista, Carlos Ventura no ganaría nada con eso. Y con respecto a toda aquella historia de la novela, no tenía ni idea de si iba a haber alguna novela, si sería capaz. Además, una columna semanal, sin todas las demás tareas de responsabilidad que Carlos Ventura había tenido en el periódico, perfectamente le daría tiempo para escribir otras cosas, y le pagarían casi el doble de lo que cobraba en la actualidad como colaboradora ocasional. Pero si no era por nada de eso, ¿por qué dudaba entonces?

Calma. Dejar que las ideas se asentasen. Así que, al fin y al cabo, lo mejor era ir a comprar ropa. Loja das Meias, para excitar por telepatía a José Viana. A pesar de todo, no cabía duda de que era un hombre interesante, había dicho cosas interesantes cuando fue a verla, cuando le escribió. Algunas incluso se parecían a cosas que le había oído decir a Carlos Ventura. La diferencia era que aquél lo hacía más para justificarse, lo cual Carlos Ventura no hacía nunca. Había en José Viana, no obstante, algo que la inquietaba, que no entendía, no sabía bien el qué. Quizá aquellos ojos de inquisidor que al mismo tiempo no lo eran. Quizá por eso había imaginado aquel disparate, que él hubiese matado a Marta Bernardo, que pudiese matarla a ella. Había en él algo peligroso, una posible duplicidad, un «en vez de», que no era exactamente lo mismo que el «si fuera» al que jugaban Duarte y ella.

Muy bien. Decisiones. Comprar un traje de chaqueta al estilo de la esposa de un joven diplomático, para que después el joven diplomático Duarte Fróis no hiciese un mal papel en Londres, con ella de casta esposa. Las colecciones de otoño ya debían de haber llegado. Casarse y listo. No tenía ni idea de qué era amar como Marta había amado. O como su propia madre, con su sindicalista. Cualquier día. Cuando fuese mayorcita. La verdad es que nadie la había querido nunca como Duarte. Sólo su madre, claro. ¡Y qué falta le hacía! ¡Qué falta le hacía su madre! La madre que quiso ser revolucionaria, sin saber cómo ni por qué. Hasta su padrastro sindicalista le hacía falta. Que se quedaba siempre muy aturullado cuando ella se sentaba sobre sus rodillas para jugar al caballito. Bueno, eso fue solamente hasta los ocho años, después su propia madre no la dejaba. Qué curioso, la madrastra era como si nunca hubiese existido, seguía estando viva sin existir. Y el padre, por contagio, también fue existiendo cada vez menos. El padrastro había sido más padre que él. Hasta Carlos Ventura lo había sido.

Duarte era más una especie de..., ¿una especie de qué? Ella le había dicho que era al mismo tiempo hermanito y hermanita, pero no era sólo eso. Duarte había sido tan adorable, tan gentil, con ocasión de la muerte de su madre. Supo instintivamente qué debía hacer y no hacer, decir y no decir. Tal vez también por eso se había vuelto, al mismo tiempo, una especie de mamá. Él, mamá de ella, no sólo ella de él, como a veces pensaba que debía ser. La mamá puta que a veces ella creía que debía ser para ayudarlo a no tener miedo. Y quizá también para ayudarse a sí misma a no tener miedo.

Nada de ideas tontas, tenía que dejarle que se marchase solo a Londres. Que fuese él mismo, aunque después se convirtiese en otra especie de Pedrito Talaveira.

Aunque, lejos de ella, se dejase llevar por la inercia y se fuese pareciendo cada vez más a un Fróis que armonizase con el resto de su familia. Pero él nunca lo sería. Eso, al menos, ella lo había impedido. O tal vez no. Enseguida se vería. En todo caso, las vacaciones de verano casi estaban llegando a su fin, los «si fuera» tenían que acabar.

Y en cuanto al más grave de todos los «si fuera», precisamente porque no lo era, es decir, en cuanto al doctor José Viana, que era un «en vez de» y no un «si fuera», eso también se vería enseguida. ¿Qué habría hecho Marta Bernardo en su lugar? En aquellas páginas confusas que había escrito para la hipotética novela, intentó imaginarla ya de mayor, incluso con gafas y dentadura postiza, tal como Carlos Ventura le había dicho. Aun así, había pensado en ella como una presencia benévola, propiciatoria. Porque, en realidad, era eso lo que sentía respecto a Marta Bernardo. Una especie de madre alternativa. El luto por la muerte de su madre. Sí, era eso. Tuvo que morir su madre. Para que ella creciese, por fin. Lo más curioso era que había invertido las edades, en aquel escenario ella, Júlia, tenía que ser la más vieja. En absoluto iba a tener dentadura postiza, cambiaría eso en el libro. A propósito, pediría cita en el dentista, no iba hacía más de seis meses.

Pero si Marta Bernardo hubiese seguido viva y no se hubiese marchado a Londres, como es obvio que no lo hizo, sólo podría haberse debido a que necesitaba liberarse de José Viana. Pero, en ese caso, ¿por qué? ¿Por haberse ido sin ella? Está bien, él podría perfectamente haber regresado al cuartel y esperado una nueva oportunidad. No abandonarla sin decir adónde iba. O incluso haber aceptado ir a Angola o a Guinea con sus compañeros. Si todos ellos iban, ¿por qué él no podía hacerlo?

¿Por razones ideológicas? Bah. La única razón válida de haberse ido con los holandeses en vez de irse con sus compañeros era que justo después Marta se habría reunido con él. Y, por tanto, si Marta no murió, ¿adónde fue? ¿O dónde se quedó, ya que nadie volvió a verla nunca más?

Si no se quedó en Portugal fue porque quiso reunirse con José Viana. Eso estaba claro. Pero no sabía adónde se había ido él. Nunca recibió las cartas que él le escribió desde Rotterdam y desde Londres porque no podía volver al apartamento. Llamadas telefónicas tampoco, claro. Por tanto: se las arregló para salir de Portugal, ayudada o no por los camaradas del Partido. Pero no sabía adónde se había ido José Viana. Londres no era el lugar más evidente. Francia, Suecia, Argelia, allí estaban los principales núcleos de exiliados políticos. Se fue a uno de esos países. A través de los camaradas que había allí, escribió a los representantes del PCP en los otros países, preguntando si alguno de ellos sabía algo de José Viana. Siempre con una carta dirigida al propio José Viana dentro del sobre, diciéndole dónde estaba ella, para que se la entregasen o la encaminasen a dondequiera que él estuviese, en esos países o en otros. O, si no, después del 25 de Abril, ella misma lo estuvo buscando, yendo de un país a otro. ¿Y el dinero para todos esos viajes? No. Quizá no viajó en absoluto, quizá ni siquiera salió de Portugal. Cambió de nombre por precaución, entró en la clandestinidad, continuó en la militancia hasta el 25 de Abril, desapareció dentro del país y no escribió ninguna carta a nadie. Una historia insatisfactoria, por más vueltas que le diese. Que, a lo sumo, daba derecho a capillas imperfectas, como diría Carlos Ventura.

Pero si escribiese sobre Marta, si la novela fuese sobre Marta Bernardo, tendría que ser sobre eso mismo. Que Marta Bernardo no fuese para los otros más que un nombre. No. Que la persona que ella había seguido siendo permaneciese sin nombre para los otros. Lo cual era completamente diferente. Sin que se supiese si estaba viva o muerta. Una especie de fantasma para los otros, pero una persona de carne y hueso allí donde estuviese. Fantasma, por tanto, sólo para los otros, no para sí misma. Está claro. Si siguiese viva. Luchando hasta el final. Hasta que dejase de ser necesario. Hasta que pudiese descansar, dondequiera que estuviese.

Pero por eso mismo era necesario que, para José Viana, Marta estuviese muerta. Al fin y al cabo, había acertado sin querer cuando le dijo a José Viana que Marta había muerto. Y si él ahora viniese a Lisboa y le preguntase, podría decir perfectamente que la antigua vecina de Setúbal acababa de morir, que el viejo jardinero senil ya no reconocía a nadie, que el otro jardinero, el hijo del viejo, ya no trabajaba en el Príncipe Real. No estaría mintiendo mucho. Al fin y al cabo, todos ellos no eran más que emanaciones de Marta a través de ella. Al fin y al cabo, no sólo Marta era una presencia protectora en su vida. Al fin y al cabo, ella también había ayudado a Marta. La había ayudado a dejar de ser un fantasma, dondequiera que estuviese. A que pudiese haber muerto o seguir viva, a que no tuviese que permanecer para siempre como aquella presencia indefinida entre una cosa y la otra.

De donde podía concluirse que no quería escribir en absoluto sobre las restauraciones de José Viana. Restauraciones políticas o de las otras. Que, ésas sí, eran siempre iguales. Ésas sí que eran duplicaciones fantasmagóricas, no ella y Marta. Tenía que decirle eso a Carlos Ventura. Tenía que decirle también lo que Manuela, la peluquera, le había dicho. Que no hacer no tiene remedio. Que no hacer trae malos recuerdos. Sabia Manuela. Pero sobre la novela sólo podría hablar con Carlos Ventura después de decidir qué iba a hacer en relación con la oferta del periódico. O, más probablemente, no hacer, no aceptar, a despecho del buen consejo de Manuela, la peluquera.

A no ser que hubiese una manera de hacer para no hacer. De hacer una cosa para hacer lo contrario. Eso en relación con el periódico, con la columna de Carlos Ventura, no con la novela. La novela tendría que ser algo que hubiese ocurrido y que ella transformase en un «si fuera». Como había ocurrido con Marta. Como, al fin y al cabo, siempre había ocurrido un poco consigo misma. Pero en la novela haría todo eso a través de un proceso inverso. Para que pudiese acabar siendo verdad aunque no hubiese ocurrido.

Primero el periódico, por tanto. No comprar absolutamente nada en la Loja das Meias e ir ya a casa a encender el ordenador. No hacer trae malos recuerdos. Por tanto: escribir el artículo, escribir la crónica para la columna de Carlos Ventura. Sin embargo, no entregársela al jefe de redacción hasta última hora, justo a tiempo de que fuese impresa pero sin tiempo para que él la leyese con atención. Disculpándose por ser aún una principiante. Hacer como Carlos Ventura había hecho en las famosas clases. Escribir todo lo contrario de lo que esperaban de ella. Hacer lo que Carlos Ventura habría querido que ella hiciese, incluso sin que él supiera que era eso lo que quería. Hacerlo así porque ella misma lo quería. Niña ya mayor. Ya iba siendo hora. Que sabe lo que quiere.

Ahora bien, la última crónica de Carlos Ventura había tenido la forma de una *Lettre persane*. Ella de esas cosas no entendía nada, no era profesora de literatura ni de cosa alguna. No recordó quién era el autor de las *Lettres persanes* originales hasta que Carlos Ventura le dijo que Montesquieu. Al que nunca había leído. Pero, con los antiislamismos en boga, podía perfectamente hacer una especie de *turquerie*. Eso lo había visto hacía poco, Duarte la había llevado al Teatro Nacional de São Carlos cuando montaron una producción de *El turco en Italia*. Le explicó con todo lujo de detalles que había una larga tradición, que Mozart también había hecho algo en ese sentido, que también había cosas así en literatura, que si patatín que si patatán, se parecía a Carlos Ventura queriendo enseñar pero sin ninguna gracia. Casi le estropeó la ópera con tanta explicación, por miedo de que a ella no le gustase.

Lo más curioso, y lo que Duarte no entendió que a ella le habría interesado más, es que en la ópera hay un escritor que no sabe lo que va a escribir y que, para salir del paso, va colocando personas reales en situaciones ficticias. Se rió. Sí, claro, por eso debía de haberse acordado ahora de la ópera. Por la novela. Venía a cuento. O tal vez no. Como Carlos Ventura habría dicho, si Rossini ya lo había escrito, deja en paz lo que ha sido escrito.

Pero para la crónica... Para la crónica podía perfectamente hacer una cosa burlona en la que el burlado creyese que es él quien se está burlando, más o menos lo que hizo Rossini con los turcos de la ópera. Con tanta gente por ahí declarando públicamente su orgullo por la civilización occidental, el jefe de redacción pensaría que era algo por el estilo. Y cuando el director del periódico, muy contento, fuese a leerlo, el texto ya habría salido, sería demasiado tarde. Estupendo. Ella escribiría exactamente lo mismo que Carlos Ventura. Comenzaría con unos ayatolás de ópera bufa, fingiendo que se estaba burlando de los islamistas pero, a partir del primer párrafo, que es lo único que el jefe de redacción tendría tiempo de leer, reproduciría exactamente la última crónica de Carlos Ventura. Tras haber comenzado con los mencionados ajustes a la turca. Por ejemplo, un Sultán imprevisible, el Gran Visir que iría a Europa como el turco a Italia, el Vice-Gran Visir sustituto, el coro de las odaliscas compartidas, el terrorista Gran Jenízaro y sus huríes, o como se llamen los festines del celestial Parque Eduardo VII de los mahometanos.

Todo el mundo en el periódico sabía perfectamente que ella no entendía nada de política, que ni siquiera le interesaba demasiado. Pero quizá creían que era tan vanidosa y tan babieca que no había entendido que precisamente por eso le habían dado la columna, para que el director pudiera demostrarle al Gobierno que el periódico se estaba distanciando de la última crónica de Carlos Ventura. Y que, por tanto, si hubiese una demanda judicial nunca debería ser contra el periódico, la única responsabilidad era la individual de un alevoso columnista a quien el periódico incluso había despedido inmediatamente y sustituido por una guapa muchacha aficionada a las artes. Así pues, todo en orden.

Sin embargo, había algo que ellos no habían entendido. Que, con política o sin política, ella siempre se inclinaría más por Carlos Ventura que por todos ellos juntos. Que no le había gustado nada que su amigo Carlos Ventura se hubiese puesto triste. Era sólo eso. Y para eso no precisaba tener razón. Si políticamente Carlos Ventura tenía razón o no, no venía al caso. Aunque no tuviese razón. A veces es preciso no tener razón para tener razón. Usarlo todo. No por lo que le toca a cada cual, ni siquiera por la hipocresía de la virtud, sino por lo que tiene que ver con todos. A partir de ahora, si alguien le ponía una demanda judicial a Carlos Ventura, también tendría que ponérsela a ella. Y el periódico también tendría que despedirla. Bien, en su caso no hacía falta despedirla, bastaba con que nunca más le aceptasen ninguna colaboración. Excepto que, tras dos crónicas de dos periodistas diferentes que decían lo mismo, publicadas una después de la otra en semanas consecutivas, les iba a resultar mucho más difícil mantener la pretendida imagen de virtuosa imparcialidad política. Convencer a quienquiera que fuese de que no lo habían hecho a propósito.

Manuela, la peluquera, ésa sí que sabía. Es siempre mejor hacer que no hacer. Se rió. Mira, Marta Bernardo también hizo lo que pudo, en los tiempos en que fue militante del Partido.

Y listo, después se quedaría en casa escribiendo la novela. ¿Comenzaría con la llegada al aeropuerto de Londres? Tal vez no. Eso lo decidiría después.

Últimos títulos